0033 48 87 77 44 Tel Pierre
4   4   4 78 79 Fax

Histoire de la Suisse

Survol de l'évolution d'un petit pays depuis ses origines jusqu'à nos jours

Dieter Fahrni

Dans le cadre de sa mission d'information pour l'étranger, PRO HELVETIA, Fondation suisse pour la culture, publie une série de brochures fournissant des informations générales sur la vie sociale, politique et culturelle en Suisse. Chaque numéro est l'œuvre d'un auteur distinct et reflète nécessairement ses vues. Etant donné le nombre relativement restreint de ses pages, la présente brochure ne saurait prétendre à l'exhaustivité d'un ouvrage scientifique. Puisse-t-elle néanmoins permettre au lecteur de se familiariser avec l'histoire de la Suisse et d'en avoir une vue d'ensemble claire. S'il désire appronfondir ses connaissances de la matière traitée, il pourra se reporter à la bibliographie qui figure en appendice.

Titre de l'édition originale: *Schweizer Geschichte. Ein historischer Abriss von den Anfängen bis zur Gegenwart*

Traduction et adaptation: Eric Jeanneret

La Fondation Pro Helvetia remercie Roland Blättler de l'Institut d'Histoire de l'Université de Neuchâtel pour sa collaboration à l'adaptation française.

Distribution à l'étranger par les représentations diplomatiques.
Distribution en Suisse pour la vente en librairie:
Diffusion Payot Lausanne pour la Suisse romande et la Suisse alémanique;
Giampiero Casagrande, editore, Lugano, pour la Suisse italienne.

6ᵉ édition 1991

Edition PRO HELVETIA   Documentation Information Presse.

Imprimé en Suisse.

SOMMAIRE

Avant-propos

On accorde parfois à la Suisse le titre de plus ancienne démocratie du monde. Notre but ne sera pas d'examiner le bien-fondé de ce titre, mais seulement d'esquisser à grands traits l'évolution de ce pays depuis ses origines jusqu'à nos jours. Quelques jalons essentiels conduiront le lecteur de l'époque romaine à la fondation de l'Ancienne Confédération, puis à la naissance de l'Etat fédéral et, enfin, à la petite nation européenne d'aujourd'hui. Nous nous efforcerons d'exposer l'histoire de ce pays de manière aisément compréhensible, même lorsqu'il s'agira de saisir les rapports complexes entre la politique, le développement économique et les mutations sociales.

Les spécialistes de l'histoire suisse s'étonneront peut-être de voir certains faits si brièvement relatés. La place disponible permet à peine de consacrer aux éléments essentiels les développements qu'ils exigent. Certaines périodes ont été impitoyablement résumées: dans notre récit, 500 ans d'histoire de l'Ancienne Confédération n'occupent pas davantage de place que les XIXᵉ et XXᵉ siècles. Précisons également que, pour la période contemporaine, nous ne nous sommes guère arrêtés à la politique extérieure et aux institutions politiques de la Suisse, examinées en détail dans d'autres brochures de cette série *.

Le lecteur trouvera en annexe une bibliographie, limitée à quelques ouvrages essentiels, qui lui permettront d'approfondir les questions trop rapidement traitées ici. Le rôle de cet abrégé est d'abord d'informer; cependant, s'il suscitait un débat sur l'histoire suisse, le but de l'auteur serait pleinement atteint.

---

* *La politique étrangère de la Suisse* par D. Frei. – *Les institutions politiques en Suisse* par O. Sigg.

La Suisse avant la formation de la Confédération

1   Epoque romaine et haut moyen âge

Jusqu'au bas moyen âge, le territoire de la Suisse actuelle, compris entre le lac Léman et le lac de Constance, entre les vallées du sud des Alpes, le Rhin et le Jura, ne formait pas d'unité politique ou culturelle.

Avant que l'Empire romain ne s'étende vers le nord, par delà les Alpes, ce territoire était occupé par différentes *tribus celtes*. Les plus importantes étaient celle des *Helvètes*, établie entre les Alpes et le Jura, et celle des *Rhètes*, dans les Grisons actuels. Comme la Gaule, *ces territoires celtes tombèrent sous la domination romaine* après la défaite de Bibracte contre Jules César (58 av. J.-C.).

La population celte s'intégra rapidement au monde romain et vécut pendant les deux premiers siècles de notre ère une période de paix et de prospérité. La principale ville de l'Helvétie romaine était *Aventicum* (aujourd'hui Avenches, canton de Vaud), dont les murailles garnies de tours abritaient 50 000 habitants. Les Romains réalisèrent un remarquable réseau routier, dont certaines traces sont encore visibles de nos jours. Par le Grand Saint-Bernard à l'ouest, et les cols des Grisons (Julier, Splügen, Oberalp) à l'est, un trafic intense reliait l'Helvétie au centre de l'Empire.

Cette période de paix prit fin avec les incursions des Germains. En 260 ap. J.-C., les *Alamans* forcèrent une première fois la frontière fortifiée du nord («limes») et pénétrèrent au sud. Les Romains ne reprirent que temporairement le contrôle de la frontière Rhin-Danube. L'armée occupa les *régions frontières* constituées par l'Helvétie et la Rhétie, provoquant un appauvrissement rapide de la population. Vers 400, Rome fut finalement contrainte de retirer ses troupes des provinces situées au nord des Alpes. A l'époque des *grandes migrations*, la pression des Germains eut raison de l'Empire romain d'Occident. Les centres urbains perdirent de leur importance;

le contact avec le bassin méditerranéen, nécessaire au commerce, fut coupé.

La tribu germanique des *Burgondes* s'établit à l'ouest, celle des *Alamans* à l'est de la Suisse actuelle. Tandis que les Burgondes adoptaient la langue des Romains et le christianisme, les conquérants alamans conservaient leur culture germanique. Ainsi se constitua *la frontière linguistique entre langues romane et germanique*, entre le français et l'allemand, qui traverse encore la Suisse d'aujourd'hui.

Au VIᵉ siècle, les Burgondes et les Alamans tombèrent sous la domination des *Francs*. Les souverains mérovingiens et carolingiens édifièrent en Europe un grand empire agraire et c'est sous leur règne que le christianisme s'imposa. Lorsque l'Empire de Charlemagne fut divisé, en 870, le pays des Burgondes fut attribué à sa partie occidentale, celui des Alamans à sa partie orientale : *le territoire actuel de la Suisse était traversé par une véritable frontière politique.*

2 La société féodale du moyen âge

Avec les Francs, le *système féodal* s'étendit à l'Europe entière. La noblesse guerrière disposait des terres, principal moyen de production, et des hommes qui y vivaient. Le système germanique du clan se combinait avec la tradition romaine de l'administration. En contrepartie de la concession des terres, les seigneurs remplissaient vis-à-vis du roi les obligations vassaliques, en particulier l'aide militaire et l'assistance en justice. A l'égard des paysans, ils pouvaient exercer la justice et prélever différents impôts, mais se devaient aussi de les protéger.

Une *société agraire* s'est formée, qui vivait presque exclusivement de ses propres produits. Les villes se sont étiolées, la circulation monétaire a régressé et seuls quelques évêchés ont recueilli ce qui restait de l'ancienne culture. La productivité des exploitations paysannes était faible et la famine menaçait bien souvent. De vastes régions de l'Europe demeuraient en friche.

L'équilibre de cette société agraire fut rompu progressivement au XIIᵉ et XIIIᵉ siècles. La population commença à augmenter, de même que la productivité de l'agriculture. L'*extension des terres*, le défrichage d'immenses étendues et la mise en valeur de zones non

La Suisse à l'époque romaine

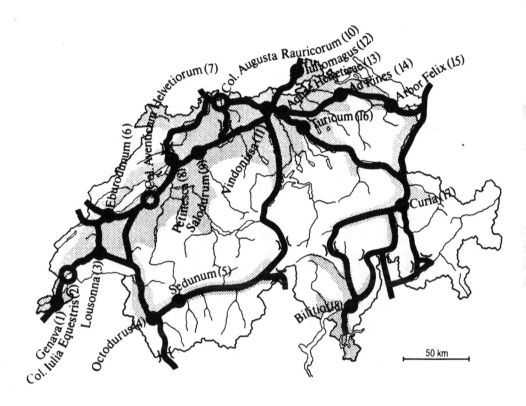

La Suisse à l'époque romaine, *avec les régions dans lesquelles des vestiges ont été découverts jusqu'ici, le réseau routier et les principales agglomérations. Parmi celles-ci, il faut distinguer trois colonies soumises au droit romain: Nyon, Avenches et Augst. Les agglomérations désignées ici en latin s'appellent aujourd'hui, dans l'ordre: 1 Genève, 2 Nyon, 3 Lausanne, 4 Martigny, 5 Sion, 6 Yverdon, 7 Avenches, 8 Jensberg, 9 Soleure, 10 Augst, 11 Windisch, 12 Schleitheim, 13 Baden, 14 Pfyn, 15 Arbon, 16 Zurich 17 Coire, 18 Bellinzone.*

Punktum AG, Zurich

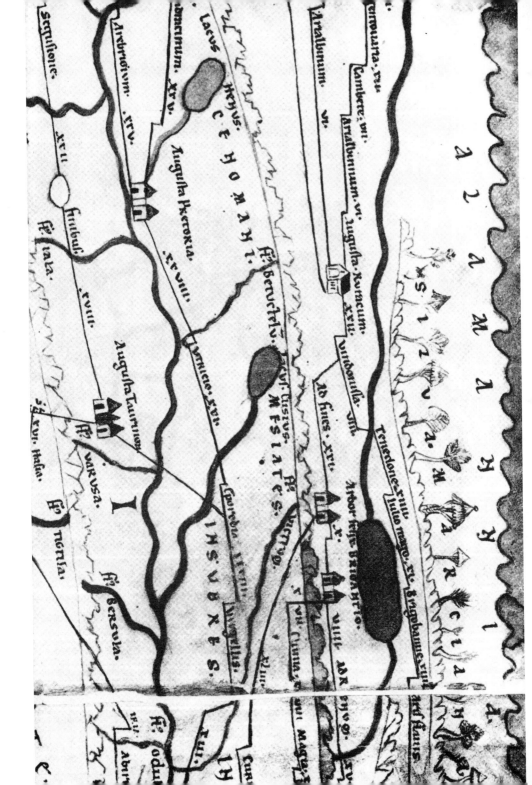

cultivées jusque-là firent de rapides progrès. L'assolement triennal se généralisa, de nouvelles techniques se répandirent pour le labour et l'attelage. Les paysans virent leur situation sociale et juridique s'améliorer; les seigneurs, cessant d'appliquer exclusivement le système des corvées, commencèrent en effet à affermer leurs terres pour de longues périodes, contre une redevance en espèces ou en nature.

Les *relations commerciales* furent rétablies avec Byzance et les Arabes. L'introduction d'articles de luxe dans les provinces européennes augmenta les besoins en argent de la noblesse. Par la vente de droits d'usufruit, l'octroi de privilèges juridiques et l'établissement de nouvelles redevances, les seigneurs tentaient de s'approprier tout le bénéfice des hausses de productivité de l'agriculture. Les grands domaines seigneuriaux de l'époque carolingienne subissaient un morcellement continu pour assurer la subsistance d'un nombre croissant de ministériaux, de membres de la noblesse de robe et de chevaliers. Peu à peu se forma un imbroglio de droits de propriété, de rapports de souveraineté et de titres juridiques.

L'*émiettement de la souveraineté* aux XIIIe et XIVe siècles, conséquence du système des fiefs, s'accompagnait de conflits permanents dans la noblesse. A la mort de leurs vassaux, seuls des seigneurs très puissants étaient en mesure de récupérer les fiefs qu'ils leur avaient confiés. Les plus forts d'entre eux tentaient de former des domaines d'un seul tenant à partir de territoires dispersés aux quatre vents: la guerre, les mariages ou les achats leur permettaient de faire entrer de petits seigneurs dans leur zone d'influence. Lorsque s'éteignait une famille de la noblesse, parents ou rivaux belliqueux se précipitaient sur ses terres.

Le territoire de la Suisse actuelle vit tout d'abord les *Zähringen* s'affronter avec la famille impériale des *Hohenstaufen*; par la suite, ce furent les *Kybourg*, les *Hohenstaufen* et la maison de *Savoie* qui se disputèrent l'héritage des Zähringen. Au milieu du XIIIe siècle, la dynastie Kybourg s'éteignit et les maisons *Habsbourg* et de *Savoie* se

◁   *Détail de la Table de Peutinger, carte routière romaine du IVe siècle, dont on n'a conservé qu'une copie, datant probablement du XIIe siècle. A droite en haut, le lac de Constance et la Forêt-Noire.*
Benziger Verlag, Zurich 1958

jetèrent sur son héritage, tandis que les Hohenstaufen avaient le dessous dans le conflit qui les opposait à la papauté. A la fin du XIIIᵉ siècle, l'actuelle Suisse alémanique et une grande partie de la Souabe appartenaient aux Habsbourg, ou étaient placées sous leur influence directe.

Comme tous les seigneurs, les Habsbourg tentèrent d'établir dans leurs domaines une administration plus rigoureuse, de monopoliser les droits de toute nature et de faire de leurs vassaux de simples fonctionnaires rémunérés.

3 Villes et confédérations de villes

Un des principaux moyens utilisés par la noblesse pour réaliser sa politique territoriale était *la fondation de villes nouvelles*. Entre le XIIᵉ et le XIVᵉ siècle, dans toute l'Europe, les seigneurs accordèrent d'innombrables privilèges à des chevaliers et à des marchands pour édifier des villes. Artisans et commerçants obtenaient un emplacement relativement sûr auprès d'une forteresse, du siège d'un évêché ou d'un monastère, pour entreposer leurs marchandises et ouvrir un marché. Cela signifiait de nouvelles ressources financières et des avantages stratégiques pour le seigneur: la ville servait de camp militaire; elle était aussi le siège d'un tribunal.

Plusieurs villes de la Suisse actuelle ont été fondées au XIIᵉ siècle, en particulier par les Zähringen: *Fribourg, Berne, Morat et Thoune* occupaient des positions stratégiques dans les conflits avec la Savoie et la Bourgogne. D'anciens sièges d'évêchés et de couvents, comme *Bâle* et *Zurich*, connurent un vigoureux développement, favorisé par les autorités religieuses dont ils dépendaient. Jusqu'au XIVᵉ siècle, on dénombre 200 villes nouvelles, dont un tiers a complètement disparu par la suite.

Fondation de Berne par le duc Berthold de Zähringen, en 1191.   △
Atlantis Verlag, Zurich 1941

Eglise de l'ancienne abbaye cistercienne de Bonmont près de Nyon, canton de   ▷
Vaud, XIIIᵉ siècle.

Benziger Verlag, Zurich 1958

Les villes accélérèrent le processus de différenciation sociale qui était en train de modifier profondément la société féodale. De nombreux nobles durent s'incliner devant leur puissance économique et ils s'appauvrirent. *Les villes avaient tendance à se substituer à la noblesse.* Berne est un exemple typique de cette évolution : grâce à sa politique d'alliances et à l'achat systématique de terres et de droits, elle réussit à s'approprier peu à peu une vaste région qu'elle assujettit à son tour.

En tant que centres économiques, les villes souhaitaient des routes et des rivières sûres, une situation juridique claire et la fin des conflits armés. Elles tenaient beaucoup à la stabilité des alliances, pour ne pas avoir à fournir une aide militaire aux seigneurs dont elle dépendait. Là où la noblesse ne voulait ou ne pouvait pas assurer ces conditions, les villes se sont mises à *veiller elles-mêmes à la paix intérieure.* L'expansion économique suscitée par les marchés urbains exigeait la stabilité politique. C'est pourquoi on a vu naître au XVe siècle plusieurs *confédérations de villes*, qui s'associaient parfois avec des seigneurs locaux. Berne, par exemple, a créé la confédération de Bourgogne, réseau très étendu d'alliances, tandis que Zurich cherchait ses alliés parmi les villes souabes et que la grande ville de Bâle, de l'autre côté du Jura, se tournait vers les villes du Rhin moyen.

Bien souvent, ces alliances n'étaient guère durables ; elles n'étaient renouvelées que si le besoin s'en faisait sentir. Mais elles étaient significatives du nouveau pouvoir des citadins, qui contestaient de plus en plus souvent l'autorité des maîtres de leur ville. Les confédérations apparues à cette époque ont connu des sorts très différents ; la Ligue des villes souabes n'a finalement pas survécu aux attaques de la noblesse, alors que la Confédération située aux pieds des Alpes réussissait à s'imposer, ce qui allait entraîner une évolution nettement différenciée de ces deux régions de l'Empire.

4   Les vallées franches d'Uri et de Schwytz

La Confédération suisse ne tire pas son origine d'une alliance limitée à des villes, mais d'une association de villes et de *régions rurales libres* situées dans le massif alpin, au bord du lac des Quatre-Cantons. On ne sait pas précisément à quand remonte la franchise dont bénéficiaient les propriétaires terriens, petits et grands, de ces régions : elle datait peut-être du haut moyen âge, ou seulement d'une colonisation ultérieure. Par contre, il a été clairement établi que des *communautés rurales* se sont formées en de nombreux points des Alpes à l'époque de l'extension des terres et de l'ouverture des cols alpins. Aux XIIIe, XIVe et XVe siècles, des communautés de ce genre existaient non seulement au bord du lac des Quatre-Cantons, mais au Tyrol et au Vorarlberg, en Haute-Italie et au Tessin, en Savoie, dans le Dauphiné, etc. Les conditions de vie dans ces régions, si particulières, y ont suscité des structures économiques, culturelles et politiques tout à fait originales.

Dans les Alpes, bien plus que dans la plaine, les hommes étaient appelés à s'entraider : les amenées d'eau, l'exploitation des forêts et celle des pâturages, les transports à dos de mulet exigeaient la solidarité. Les communautés alpines ont d'abord été essentiellement économiques, puis elles se sont organisées politiquement. Elles jouissaient d'une grande indépendance, liée aux conditions mêmes de la vie alpestre. La domination seigneuriale était en général assez lâche dans ces contrées. Si elle menaçait de se renforcer, les montagnards étaient prompts à réagir.

En Suisse, chaque communauté était placée sous la direction d'un *landammann* *, qui possédait parfois plus de terres que les autres membres. Tous les hommes libres devaient prêter un serment, qui garantissait la cohésion du groupe et l'autorité du landammann.

Dès l'*ouverture du col du Gothard*, vers 1230, la maison impériale de Hohenstaufen manifesta un vif intérêt pour ces vallées reculées ; elles s'empressa de confirmer la franchise des Uranais et des Schwytzois. Sa protection était cependant plus théorique que pratique, car les Hohenstaufen étaient en conflit en Italie avec le pape.

Tout comme les villes, les familles dirigeantes de Suisse centrale concluaient des alliances destinées à assurer la paix intérieure. Mais elles n'étaient pas en mesure d'empêcher les troubles. Ce peuple de chasseurs et de paysans, d'un naturel sauvage, avait le goût des expéditions armées, dont le seul but était souvent de mettre la main sur des pâturages ; il s'attaquait également aux possessions des couvents d'Engelberg et d'Einsiedeln, souvent dirigé par la noblesse

---

* Littéralement : « homme remplissant des fonctions officielles dans le canton ». Le landammann est à la fois juge, chef d'Etat et président de la landsgemeinde (sur ce terme, voir la note p. 20).

campagnarde, qui prenait la tête de ces raids. Il a fallu l'élection de Rodolphe IV de Habsbourg au trône impérial (en 1273) pour ramener la paix dans les *Waldstätten* *.

Après sa mort en 1291, les familles dirigeantes d'Uri, de Schwytz et d'Unterwald ont renforcé leur alliance et se sont assuré l'appui de Zurich – qui était au bénéfice de l'immédiateté impériale – pour faire régner un peu d'ordre dans les terres dominées par les Habsbourg. Par la suite, chaque fois que l'Empire s'est trouvé privé de souverain, ou qu'une élection contestée annonçait une période mouvementée, les Waldstätten ont conclu une alliance entre eux ou avec d'autres partenaires, afin de sauvegarder leurs intérêts.

Leur volonté de faire régner eux-mêmes l'ordre public devait finalement se heurter aux prétentions des Habsbourg. L'animosité des alliés à l'égard de la grande maison d'Autriche allait en augmentant, particulièrement depuis la bataille de *Morgarten* (en 1315): les paysans des Waldstätten y avaient battu une armée de chevaliers autrichiens, envoyée contre eux après des attaques répétées contre le couvent d'Einsiedeln. Après leur victoire, ils étaient moins que jamais prêts à laisser des seigneurs étrangers s'en prendre à leurs droits.

Deux prétendants se disputaient le trône impérial au moment de la bataille de Morgarten. Dès que la victoire confédérée fut connue, un des deux rivaux, Louis de Bavière, confirma l'immédiateté impériale d'Uri, de Schwytz et d'Unterwald. Cette reconnaissance devint effective lorsque Louis de Bavière l'emporta sur son rival Habsbourg. Les Waldstätten devenaient ainsi une sorte de bailliage autonome où, d'ailleurs, la présence des représentants du souverain n'est plus signalée depuis le milieu du XIVe siècle.

L'oligarchie des familles de la noblesse rurale fut renversée à son tour dans la seconde moitié du XIVe siècle; ces familles avaient acquis un pouvoir politique et économique considérable au cours des luttes contre les Habsbourg. Leurs terres et leurs droits dans les domaines douanier et judiciaire furent communalisés. C'est à cette époque

---

* Littéralement: «cantons forestiers». Les trois plus anciens cantons suisses: Uri, Schwytz et Unterwald. On les appelle aussi cantons primitifs.

La bataille de Morgarten, 1315.   ▷

Atlantis Verlag, Zurich 1941

qu'apparut *la landsgemeinde* *. Ce mouvement démocratique des campagnes se développait au moment même où les corporations renforçaient sensiblement leur position dans les villes.

* Littéralement: «communauté du canton». Assemblée de tous les citoyens qui possèdent les droits politiques, la landsgemeinde est l'organe souverain de la communauté. Cette institution plonge ses racines dans les formes d'organisation des communautés d'éleveurs des régions alpines.

Formation et essor de la Confédération

1 Alliance entre villes et régions rurales

Si l'on en croit la tradition, la Confédération a été fondée en 1291 au bord du lac des Quatre-Cantons, dans la prairie écartée du *Grütli*. Des représentants des paysans libres d'Uri, de Schwytz et d'Unterwald firent le serment de s'aider mutuellement pour délivrer leur pays de la servitude des Habsbourg. La flèche décochée par Guillaume Tell contre le bailli aurait donné le signal de la révolte contre les oppresseurs. Ce mythe de la libération des Waldstätten tient une grande place dans toutes les chroniques du bas moyen âge. Cependant, le laps de temps qui sépare la rédaction de ces chroniques des événements eux-mêmes est aussi long que celui qui nous sépare de la Révolution de 1789. La légende de Tell est une transposition littéraire des faits, qui représente symboliquement la libération des Waldstätten et légitime le soulèvement des habitants de la région. La tradition de Tell, héros de la liberté, a inspiré de nombreuses œuvres, dont la plus connue est le drame du même nom de Friedrich Schiller.

La Confédération n'aurait pas été viable sans les villes; d'ailleurs, son histoire ne commence vraiment qu'avec les premiers liens permanents entre villes et régions rurales, soit au milieu du XIVe siècle.

Lucerne, qui relève de l'autorité des Habsbourg et veut s'en affranchir, conclut en 1332 un pacte avec les libres Waldstätten. En 1351, c'est au tour de *Zurich* qui craint, après une révolution des corporations, une tentative de restauration de la noblesse. En 1353 enfin, *Berne*, en lutte pour agrandir sa zone d'influence à l'ouest, couvre ses arrières en signant un pacte avec les Waldstätten. Au départ, ces alliances sont limitées à une promesse d'aide mutuelle; elles ne s'inscrivent nullement dans la perspective de la fondation d'un Etat. Leur but est la sauvegarde de la paix et la défense de l'immédiateté impériale des différents alliés, encore contestée dans certains cas. Cependant, ces accords, en s'étendant à de vieilles terres des Habsbourg comme *Unterwald, Lucerne, Glaris et Zoug*, empiètent clairement sur le domaine réservé de la puissante maison autrichienne.

Les prétentions des Habsbourg sont peu à peu battues en brèche. Les pays confédérés réussissent l'un après l'autre à se soustraire à l'autorité seigneuriale. Étape après étape, ils forgent leur souveraineté territoriale. En passant des traités de combourgeoisie avec des couvents et de petits seigneurs, en conférant la qualité de bourgeois forains à des membres de la noblesse campagnarde, par la voie des négociations ou celle de la guerre, les cantons confédérés s'assurent des droits toujours plus nombreux.

Les Confédérés remportent de grands succès militaires dans les batailles de Sempach (1386) et de *Näfels* (1388). A la différence de la Ligue des villes souabes qui doit s'incliner, ils affaiblissent sensiblement la domination autrichienne. Deux nouveaux traités communs, la *Charte des Prêtres* et le *Convenant de Sempach*, resserrent la cohésion des alliés, qui vont désormais exercer eux-mêmes la justice dans tous les territoires qu'ils contrôlent et veiller à la paix intérieure. Ils s'engagent d'autre part à se montrer plus disciplinés lors des expéditions militaires.

En réalité, l'alliance des huit anciens cantons est constituée de plusieurs pactes différents, impliquant chacun trois, quatre ou cinq cantons. Elle reste assez lâche, mais *il est possible de parler à la fin du XIVᵉ siècle d'une Confédération*, qui prend peu à peu figure d'*Etat indépendant à l'intérieur de l'Empire germanique*. Cette évolution est parallèle à celle qu'on observe alors dans d'autres régions de l'Empire, qui passent d'une organisation féodale à une ligue de principautés héréditaires. Cependant, avec la mise en échec de la domination des Habsbourg et l'affaiblissement de la noblesse autochtone, un *élément bourgeois* s'affirme dans la Confédération bien plus tôt qu'ailleurs. Les cantons paysans et les villes – dans lesquels les corporations jouent un rôle très important – prennent la place de la noblesse : ce sont les nouveaux seigneurs fonciers.

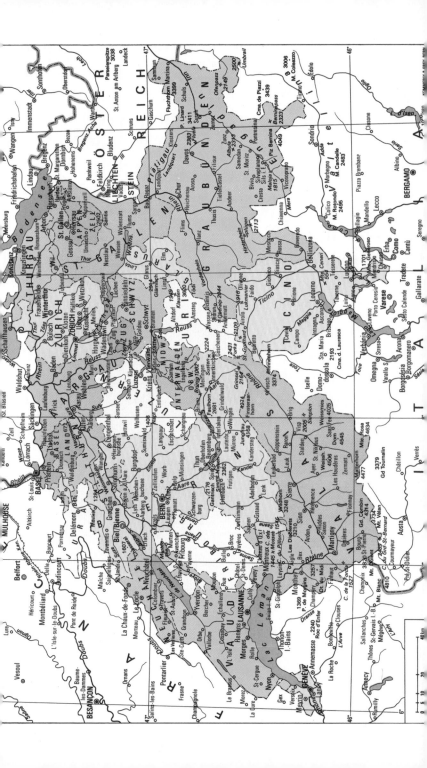

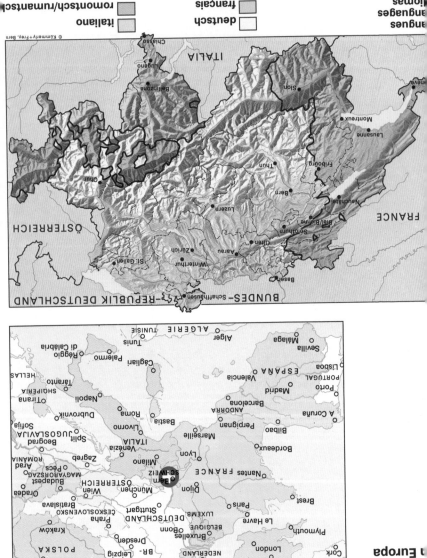

2 Expansion territoriale au XVe siècle

A peine les villes et les régions rurales se sont-elles libérées de la tutelle de la noblesse qu'elles commencent à faire main basse à leur tour sur des *pays sujets*. Pendant un siècle à peu près, la Confédération va de conquête en conquête. Cette période d'expansion armée sera plus tard idéalisée dans de nombreux récits: c'est l'«époque héroïque» de l'histoire nationale.

Les habitants d'Uri et Obwald franchissent le col du Saint-Gothard pour occuper la Léventine et sa route commerciale vers le sud. Le soulèvement du pays d'Appenzell et de la ville de Saint-Gall contre l'abbé de Saint-Gall est l'occasion bienvenue d'une expansion en direction du lac de Constance. Un conflit entre la maison d'Autriche et l'empereur Sigismond permet aux Confédérés de rompre la paix de cinquante ans conclue avec les Habsbourg et de conquérir l'Argovie.

Plus l'espace féodal entre les villes se rétrécit, plus leurs rivalités sont vives. Berne se heurte à Fribourg dans le pays de Vaud, à Lucerne en Argovie. Au nord, Zurich est aux prises avec Schaffhouse. Après la mort du dernier comte de Toggenbourg en 1436, Zurich et Schwytz se disputent âprement son héritage; il s'ensuit un conflit d'une dizaine d'années – l'*Ancienne guerre de Zurich* (1439-1446) – qui voit Zurich s'opposer au reste de la Confédération, s'allier contre elle avec l'Autriche et aboutir finalement à un échec. La paix avec l'Autriche n'est guère durable; les Confédérés envahissent bientôt la *Thurgovie*, la pillent et l'annexent: en 1467, Zurich achète les droits de seigneurie sur la ville de Winterthour. Bilan de toute cette période: au sud du Rhin, il ne reste à l'Autriche qu'un petit coin de pays du côté de Bâle.

Le théâtre des opérations confédérées se déplace alors à l'est. Dans les guerres contre *Charles de Bourgogne* dit *le Téméraire* (1474-1477), l'infanterie suisse donne une nouvelle preuve de sa puissance. Pourtant, la victoire ne rapporte que peu de nouveaux territoires aux Confédérés; Berne en convoite plusieurs, mais pour rien au monde les autres cantons n'accepteraient de voir cette ville augmenter encore sa puissance. La *guerre de Souabe*, remportée tout à la fin du siècle contre l'empereur, ne se solde pas non plus par de gros avantages, exception faite des droits de haute justice en Thurgovie. Quant aux *guerres d'Italie* (1499-1515), elles permettent à la Confédération de mettre la main sur d'importants territoires situés au sud des Alpes; les

Confédérés commencent par se battre aux côtés du roi de France, pour passer ensuite dans le camp du pape.

Au cours de cette période d'expansion, la Confédération passe de huit à treize cantons. *Fribourg* et *Soleure* en sont devenus membres après les guerres de Bourgogne, *Bâle* et *Schaffhouse* après la guerre de Souabe, *Appenzell* pendant les guerres d'Italie. La Confédération comprend d'autre part des «alliés», dont le statut est inférieur à celui des membres à part entière: les villes de *Saint-Gall* et *Mulhouse* et les *communautés rurales des Grisons et du Valais*.

A côté des terres parfois très étendues qu'ils possèdent en propre, les treize cantons se trouvent à la tête de pays sujets administrés en commun, les *bailliages communs* d'Argovie, de Thurgovie, du pays de Sargans et du sud du Gothard. C'est pour administrer ces terres sujettes que les cantons confédérés créent leur *premier organe étatique commun*, la *Diète*, qui se réunit régulièrement. Chaque canton y a droit à deux sièges et une voix.

La Confédération va garder pendant près de trois cents ans, jusqu'à son effondrement en 1798, la forme juridique qu'elle a adoptée au début du XVIe siècle.

3 Conflits entre les villes et les campagnes

Comme le montre l'affaire de l'héritage Toggenbourg, l'alliance entre les Confédérés est soumise à de multiples tensions. Différents cantons se disputent les mêmes pays sujets, une rivalité permanente oppose les villes bourgeoises et les régions paysannes, les nombreuses expéditions militaires et le mercenariat s'accompagnent inévitablement de toutes sortes de troubles. L'opposition entre villes et campagnes trouve régulièrement de nouveaux aliments dans les prétentions des villes: monopoliser les droits de police, de justice et d'administration de leurs pays sujets, réserver à la ville les privilèges économiques et toutes les redevances féodales.

Les horreurs de la guerre. Ici, une scène des guerres d'Italie. Ce dessin à la plume ▷
d'Urs Graf, de 1521, donne sans doute une idée assez exacte des champs de
bataille de cette époque, que l'artiste connaissait bien.

Musée des Beaux-Arts de Bâle, Cabinet des estampes

Un exemple caractéristique de ces conflits est la résistance des campagnes zurichoises à la domination de *Hans Waldmann*, bourg-mestre de Zurich (1436-1489). Waldmann défendait les intérêts des corporations contre ceux de l'aristocratie de la ville et les intérêts de la ville contre ceux de la campagne. En promulgant de nouvelles lois de police et en remettant en question les anciens droits d'administration des communes, il dressa à tel point les paysans contre la ville, qu'ils se soulevèrent lors du carnaval de 1489. Waldmann fut renversé et exécuté par ses adversaires patriciens. A la demande des Confédérés, quelques-unes de ses innovations furent abrogées. Mais le devoir d'obéissance de la campagne et les vieux droits furent expressément confirmés.

Les tensions entre villes et campagnes sont rendues plus vives encore par l'effervescence entretenue dans les pays sujets par les paysans libres de Schwytz, d'Appenzell et d'Obwald, qui encou-ragent les habitants à défendre leurs anciens droits et leurs coutumes. Les kermesses, le carnaval et les fêtes de tir sont autant d'occasions d'élever de violentes protestations contre le pouvoir de la ville. Souvent éclatent alors des émeutes, qui prennent parfois les propor-tions de véritables soulèvements armés. Le plus connu de ces événements est l'expédition de la *Folle Vie*. Au cours du carnaval de l'année 1477, des mercenaires subalternes et de jeunes paysans de Suisse centrale se mettent en tête de marcher sur Genève pour y encaisser en personne l'argent dû aux Confédérés à la suite des guerres de Bourgogne. Leur troupe grossit d'étape en étape. Les Genevois réussissent finalement à faire prendre le chemin du retour à cette horde sauvage grâce à des promesses et des flots d'alcool.

Alarmées par ces expéditions qui ressemblent fort à des insurrec-tions, les villes concluent une alliance séparée à laquelle participent non seulement Berne, Zurich et Lucerne, mais aussi Soleure et Fribourg. Les cantons ruraux, se sentant menacés à leur tour, exigent la dissolution de cette alliance. La guerre n'est pas loin. On trouve

Gossau. Vue typique d'un village suisse avec ses maisons à colombage, au début ▷
du XVI siècle. Les toits sont recouverts de chaume, de bardeaux ou de tuiles. Les*
maisons construites entièrement en pierre étaient encore rares à cette époque.
Chronique lucernoise de Diebold Schilling, 1513.

Faksimile-Verlag, Lucerne 1981

pourtant un compromis: dans le *Convenant de Stans* (1481), chaque canton s'interdit de faire de l'agitation parmi les sujets des autres cantons; villes et campagnes s'engagent d'autre part à réprimer ensemble les coups de main et les soulèvements. L'aboutissement de cet accord est inséparable de la médiation de *Nicolas de Flue*; le rôle de cet ermite est à l'origine de nombreuses légendes.

4 Le mercenariat

Les Confédérés ont de bonnes raisons de défendre solidairement leurs droits de seigneurie. Le mercenariat, largement répandu, est en effet une source permanente de conflits entre les soldats de métier, issus des milieux paysans, et les familles dirigeantes de la ville et de la campagne.

Pour les jeunes paysans des vallées de montagne surpeuplées, le service mercenaire est souvent la seule possibilité de gagner leur vie. L'enrôlement à l'étranger devient fréquent dès le début du XVe siècle. Le phénomène prend rapidement de l'ampleur, surtout après les guerres de Bourgogne, qui ont fait connaître loin à la ronde la terrible efficacité de l'infanterie confédérée. Les familles influentes de la ville et de la campagne tirent largement parti de la situation: elles reçoivent des sommes considérables des souverains étrangers qui leur achètent le droit de recruter des mercenaires dans la Confédération. Un exemple à ce sujet: le bourgmestre de Zurich Hans Waldmann, déjà cité, reçoit 600 florins du roi de France, 400 de l'Autriche, 300 de la Savoie et 100 de la Lorraine, tout cela au titre de « pensions privées »*.

* On appelle « pensions » les versements effectués par les Etats étrangers pour obtenir l'autorisation de recruter des troupes mercenaires. Ces sommes vont aux cantons, (pensions générales) à leurs autorités (pensions de rôle), ou à des membres choisis de celles-ci (pensions privées).

Guerrier suisse. Gravure sur bois de Hans Rudolf Manuel. △

Musée historique de Berne

Gravure sur bois représentant Nicolas de Flue, médiateur entre les villes et les ▷
campagnes, dont le rôle a donné naissance à de nombreuses légendes.

Bibliothèque centrale, Zurich, Cabinet des estampes

Les troubles qui suivent le renversement de Waldmann dans plusieurs régions de la Confédération sont en relation directe avec l'opposition entre mercenaires et autorités.

Les soldats de métier veulent pouvoir s'engager librement, là où la solde est la plus élevée; ils refusent de verser leur sang pour les souverains qui se sont montrés les plus généreux envers les familles dirigeantes de leur canton. Non sans raison, ils considèrent les innombrables règlements sur le «service étanger» comme un moyen pour ces familles de monnayer aussi avantageusement que possible leur valeur militaire.

La crise la plus aiguë éclate au cours des *guerres d'Italie*. Certaines troupes recrutées en Suisse se battent du côté des ducs de Milan, d'autres avec le roi de France ou la papauté; à plusieurs reprises, elles se trouvent face à face sur le champ de bataille. En 1503, les cantons s'engagent à refuser toute espèce de pensions, pots de vin et cadeaux offerts par des souverains étrangers, à interdire à tous les Confédérés de s'enrôler de leur propre chef et à punir de la peine capitale toute propagande non autorisée pour le service mercenaire. Mais les intérêts matériels se révèlent plus forts que toutes les interdictions. Comme tant d'autres règlements sur les pensions, celui-ci reste lettre morte. Et, en 1513, l'enrichissement éhonté de patriciens se livrant au trafic de mercenaires provoque de nouveaux remous à Berne, Lucerne et Soleure.

L'apparition de l'artillerie met un terme au développement continu de la puissance militaire helvétique. Toutefois, les mercenaires suisses sont toujours très demandés dans l'infanterie des grandes armées européennes. Après une défaite contre le roi de France, les cantons signent avec lui un traité de paix (1516), puis une alliance qui lui donne le droit de lever des troupes en Suisse (1521). Tous les cantons (sauf Zurich qui attendra le XVIIe siècle) adhèrent à l'alliance avec la France; c'est un cas unique dans l'histoire suisse. Des liens militaires et économiques très étroits vont dès lors s'établir avec ce pays voisin. Ils se maintiendront jusqu'à la chute de l'Ancienne Confédération.

La Confédération de 1536 à 1798

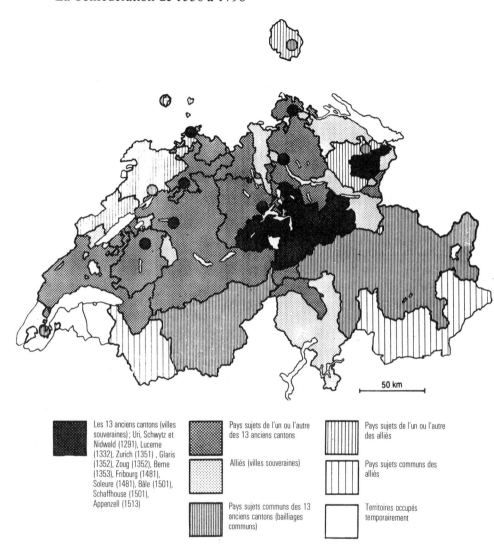

	Les 13 anciens cantons (villes souveraines) ; Uri, Schwytz et Nidwald (1291), Lucerne (1332), Zurich (1351) , Glaris (1352), Zoug (1352), Berne (1353), Fribourg (1481), Soleure (1481), Bâle (1501), Schaffhouse (1501), Appenzell (1513)		Pays sujets de l'un ou l'autre des 13 anciens cantons		Pays sujets de l'un ou l'autre des alliés
			Alliés (villes souveraines)		Pays sujets communs des alliés
			Pays sujets communs des 13 anciens cantons (bailliages communs)		Territoires occupés temporairement

Après la conquête du pays de Vaud et du Bas-Valais (1536), le territoire de la Confédération est resté inchangé, pour l'essentiel, jusqu'en 1798. La rupture politique et confessionnelle consécutive à la Réforme a empêché une nouvelle expansion vers l'extérieur, et contrecarré une consolidation interne.

Punktum AG, Zurich 1975

La Réforme en Suisse

1 La Réforme dans l'Ancienne Confédération

Le premier porte-parole de la Réforme en Suisse est *Ulrich Zwingli* (1484-1531), curé au Grossmunster de Zurich depuis 1518. Ecclésiastique cultivé, Zwingli est aussi un habile politicien qui s'entend à mener de front le renouveau de l'Eglise et les réformes économiques et politiques. En matière religieuse, il est influencé par Luther et préconise le *retour au texte biblique*. Il s'élève contre les abus du clergé, le cumul des prébendes et le trafic des indulgences. Ses *attaques contre les pensions et le service étranger* lui valent le soutien des corporations, que le mercenariat prive de main-d'œuvre. La popularité de Zwingli gagne les campagnes, car il s'élève dans ses prédications contre le *servage* et réclame une réforme des redevances féodales.

Il remet en cause la position dominante de l'Eglise ici-bas: «Rien, dans l'enseignement du Christ, ne justifie le pouvoir et la richesse de l'Eglise.» Pratiquement, Zwingli rejoint par là les idées qui, trente ans plus tôt, ont été fatales à Waldmann, puisqu'il affirme lui aussi que le pouvoir doit appartenir à la municipalité seulement.

Le Conseil de Zurich adhère aux idées novatrices de Zwingli en 1525. Le libre commentaire des textes de la Bible remplace la messe, l'obligation du célibat des prêtres est levée, les propriétés foncières de l'Eglise sont sécularisées. Les terrains et les droits de cens et de dîme de huit couvents compris dans l'enceinte de la ville et de onze autres situés à l'extérieur reviennent à la ville. *La Réforme se traduit par un renforcement considérable de la bourgeoisie municipale.* Le mouvement des *anabaptistes* qui se développe dans les campagnes et prétend supprimer l'obligation du cens et de la dîme en même temps que le servage est réprimé avec une extrême dureté et la domination de la ville sur les paysans est immédiatement rétablie.

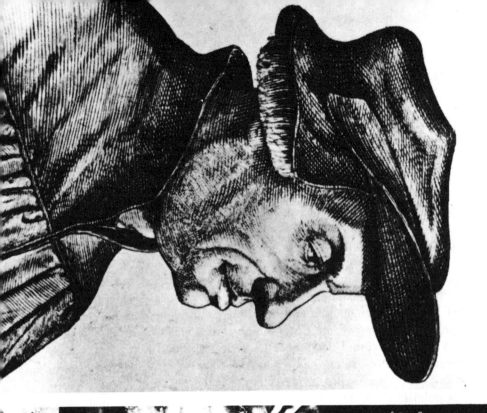

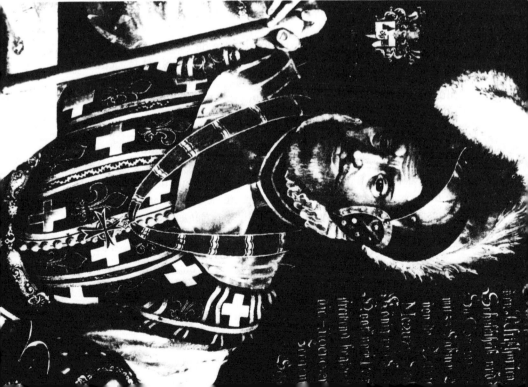

Une fois étouffés les troubles paysans qui ont éclaté dans plusieurs pays sujets des villes, la Réforme gagne rapidement du terrain. Saint-Gall et les campagnes grisonnes se rebellent contre les évêques dont elles dépendent, tout comme Bâle, Bienne et Mulhouse. La ville de Schaffhouse, où les corporations occupent une place importante, passe à la nouvelle foi. Après quelques hésitations, la puissante cité de Berne rallie à son tour la Réforme. Partout motifs religieux, politiques et économiques sont étroitement mêlés et partout les corporations au pouvoir sont le moteur du changement. Pour toutes les villes, la Réforme signifie une consolidation de la domination sur la campagne et un renforcement de l'autorité municipale.

Certaines villes, dans lesquelles les artisans ont une position plus faible, restent catholiques; ainsi Lucerne et Zoug en Suisse centrale, Soleure et Fribourg à l'ouest. Cependant, le *centre de la résistance à la nouvelle foi se trouve dans les cantons ruraux de Suisse centrale* qui craignent qu'en renforçant les villes, la Réforme menace leur indépendance. Dès 1524, ces cantons concluent une alliance avec Lucerne et Zoug «pour arrêter, extirper et punir par tous les moyens, dans nos régions et parmi nos autorités, les idées de Luther, Zwingli, Hus et autres enseignements erronés et pervertis».

Zwingli conçoit d'ambitieux plans de réforme de l'alliance fédérale dans l'intérêt des villes. Selon lui, les campagnes ne doivent plus participer à l'administration des bailliages communs. Les Confédérés doivent reconnaître la prédominance des deux grandes villes que sont Zurich et Berne: il les compare à «une paire de bœufs tirant sous le même joug». La désignation d'un bailli hostile à la Réforme dans les

△ *Ulrich Zwingli (1484-1531). Réformateur de Zurich. Originaire de Wildhaus, il fait ses études à Bâle, Berne et Vienne. Ordonné prêtre par l'évêque de Constance, il est nommé curé de Glaris. Sous l'influence d'Erasme, il conçoit peu à peu un plan de réforme de l'Eglise. Aumônier pendant les guerres d'Italie, puis prédicateur à Zurich, il déclenche la Réforme en 1518 et reste à la tête du mouvement jusqu'à sa mort.*

Benziger Verlag, Zurich 1960

◁ *Ludwig Pfyffer von Altishofen (1524-1594). Chevalier, avoyer et banneret. Un des principaux politiciens de la Contre-Réforme; colonel de troupes mercenaires au service de la France. Sa richesse et son pouvoir lui ont valu le surnom de roi des Suisses.* Peinture à l'huile d'un maître inconnu.

Benziger Verlag, Zurich 1960

bailliages communs d'Argovie est le prétexte bienvenu d'*une guerre des villes réformées contre les campagnes catholiques*. Deux batailles suffisent aux catholiques pour l'emporter (1531); Zwingli lui-même meurt au cours de la première. La deuxième paix nationale de Kappel (1531) tranche les questions confessionnelles pendantes dans les bailliages communs à l'avantage des cantons catholiques. Désormais, et pour près de deux siècles, la minorité catholique va exercer une influence bien plus importante que la majorité protestante.

2 La Réforme en Suisse occidentale

Au moment où la Réforme conquiert la plupart des villes de la Confédération, la noblesse est déjà battue depuis longtemps et il ne reste plus à ses partisans qu'à mettre la main sur les droits de seigneurie de l'Eglise. La situation n'est pas la même dans les régions francophones proches de Fribourg et de Berne, où *la Réforme se mue rapidement en une campagne politique dirigée à la fois contre le pouvoir de la noblesse et celui de l'Eglise.*

Les ducs de Savoie possèdent dans le pays de Vaud d'importants territoires, convoités depuis longtemps à la fois par Fribourg et par Berne. Depuis 1526, ces deux cantons sont alliés à *Genève*, siège d'un évêché; cette ville cherche à conquérir sa liberté et se heurte à la Savoie. Après être passée dans le camp de la Réforme, Berne encourage systématiquement l'activité de prédicateurs protestants dans le pays de Vaud, à Neuchâtel et à Genève; ceux-ci propagent à la fois les nouvelles idées religieuses et les vues politiques de Berne. Fribourg soutient au contraire les tenants de l'ancienne foi.

L'opposition entre les deux confessions se transforme progressive-. ment en opposition entre les deux villes rivales. Genève, placée dans une situation inconfortable, opte finalement pour la plus forte des deux cités. Aidée par Berne, elle réussit à se libérer de la tutelle de son seigneur et se rallie à son tour à la Réforme. *Jean Calvin* (1509-1564) s'installe à Genève en 1536. Au cours de la même année, Berne s'approprie la plus grande partie des terres savoyardes dans le pays de Vaud, ne laissant que la portion congrue à Fribourg, qui voit tout de même son territoire augmenter de façon appréciable.

La Réforme divise la Confédération en deux camps: l'alliance des cantons catholiques d'un côté, et la combourgeoisie des villes réformées de l'autre. Le camp réformé comprend environ les deux tiers de la population et les principaux centres économiques. En 1566, les villes calvinistes et celles qui se réclament de l'enseignement de Zwingli adoptent une confession commune, dite «Confessio Helvetia posterior». *L'opposition confessionnelle avec les terres d'Empire limitrophes (catholiques) amènera la Confédération à se détourner, puis à se détacher peu à peu de l'Empire.* La fin de la guerre de Trente ans (1648) consacrera cette évolution. A l'intérieur également, les fronts se cristallisent. Les cantons de Suisse centrale, soutenus par la puissante Espagne, restent influents mais ils sentent bien leur infériorité face aux villes et veillent d'autant plus jalousement au respect de leurs anciens droits. Pour éviter d'être encerclés, ces cantons s'efforcent de maintenir dans les bailliages communs des couloirs fidèles à l'ancienne foi, qui garantissent leurs contacts avec l'Europe catholique. L'administration des bailliages communs, où règnent les deux confessions, donne lieu à de perpétuelles tensions. Mais finalement *ce sont ces bailliages qui, en obligeant les deux camps à collaborer, préviennent un éclatement de la Confédération lors des guerres de religion.*

3 Conséquences économiques de la Réforme

Si la Réforme entraîne de grands changements dans la vie religieuse et politique, elle a également une influence profonde sur le développement économique de la Confédération. Parmi les Français, les Italiens et les Hollandais qui ont fui leur pays pour des raisons religieuses et se sont établis dans les cantons réformés de la Confédération, il se trouve un bon nombre de marchands aisés et d'anciens propriétaires de manufactures textiles. Leur expérience et leurs relations d'affaires font rapidement progresser l'industrie dans les villes confédérées et dans leurs pays sujets. La *transformation de la laine et de la soie*, l'*orfèvrerie* et l'*horlogerie*, comme d'ailleurs le *commerce international* et les *banques* doivent beaucoup à ces pionniers. Au début du XVIe siècle,

Saint-Gall était la seule à disposer d'une industrie textile florissante. A Zurich, Bâle et Genève, le commerce et l'industrie marchaient au ralenti, jusqu'à l'arrivée des réfugiés, qui leur donnent une forte impulsion.

Pourtant, même dans ces villes, les marchands ne sont pas toujours bien vus : en développant leurs entreprises, ils entrent souvent en concurrence avec les corporations et sont parfois contraints d'émigrer à la campagne. Il en va autrement à Genève, où aucune corporation ne s'est formée sous la longue domination savoyarde.

La transformation de la laine, du lin et de la soie essaiment bientôt à l'extérieur des villes où la main-d'œuvre est abondante : les paysans les plus pauvres sont tenus de trouver d'autres ressources que leur maigre revenu agricole et le *travail à domicile commence à se répandre*. L'entrepreneur de la ville avance aux artisans de la campagne la matière première et une partie de leur salaire, le reste étant payé à la remise du produit fini. Les frères David (1548-1612) et Heinrich (1554-1627) *Werdmüller*, de Zurich, occupent par exemple un millier de fileuses et de fileurs dans les régions rurales, ce qui leur permet d'accumuler une immense fortune. On parle à propos de cette organisation de la production de « Verlagssystem ».

Le Verlagssystem se répand essentiellement dans les *pays sujets des villes protestantes et dans les cantons ruraux d'Appenzell et de Glaris, mixtes sur le plan confessionnel.* Quant aux régions catholiques, elles restent généralement agricoles ; l'*élevage* prédomine dans les Alpes et les Préalpes, la *culture* dans les zones plus basses du Plateau. Berne seule fait exception puisque, malgré de nombreuses mesures d'encouragement, l'industrie textile n'arrive pas à s'implanter dans la campagne bernoise. Le patriciat de la ville continue à tirer ses principaux revenus de l'administration des bailliages et des postes gouvernementaux.

L'Ancien Régime

1 Le patriciat, classe fermée

Après les bouleversements de la Réforme, la vie politique restera
longtemps figée dans les huit villes et les cinq cantons ruraux de
l'Ancienne Confédération. *Le pouvoir se concentrera petit à petit dans
les mains de quelques familles.* Les autorités des cantons à landsgemeinde commencent par limiter les droits de ces assemblées, tout en
renforçant la position des familles patriciennes. La levée de *troupes
mercenaires,* la *propriété foncière,* le *commerce* et l'*industrie* permettent d'ailleurs à certaines d'entre elles d'amasser de grandes
fortunes, dont témoignent aujourd'hui encore le Palais Stockalper à
Brigue (Valais) ou le Palais Freuler à Näfels (Glaris). A l'instar de ce
qui se passe dans les villes, l'accession aux droits politiques est rendue
plus difficile dans les campagnes et la jouissance des terres communales est réservée aux indigènes. On voit alors se former une *large
couche de petits paysans sans droits,* qui doivent souvent se contenter
de terres médiocres et travailler comme ouvriers agricoles ou comme
journaliers; ils occupent l'échelon le plus bas de la société paysanne.

*La fermeture du patriciat est encore bien plus marquée dans les
villes qu'à la campagne.* A Berne, Fribourg et Lucerne, où la position
des grandes familles a toujours été très forte face aux corporations, *le
cercle de ceux qui participent au gouvernement ne cesse de se rétrécir.*
C'est une époque d'intrigues et de luttes de clans entre familles rivales.
La population des villes se stratifie fortement: tandis que, au sommet,
le patriciat se ferme, une catégorie apparaît au bas de l'échelle: c'est
celle des nouveaux habitants, empêchés de s'intégrer à la bourgeoisie
et privés de tout droit politique. Jusque-là, il n'y avait de sujets qu'à la
campagne, il y en aura désormais au sein des villes mêmes. *La grande
majorité de la population est exclue de la vie politique.* Pour obtenir
une charge dans l'administration des 52 bailliages bernois, il faut être
membre du Grand Conseil. Or, les sièges sont attribués à vie aux

membres des familles patriciennes. Progressivement, le nombre des familles susceptibles de participer au gouvernement se réduit à 68 à Berne, 71 à Fribourg et même 29 à Lucerne. Mais, dans les faits, ces villes sont dirigées par une oligarchie bien plus étroite encore.

Dans les cités où les corporations prédominent, comme Zurich, Bâle et Schaffhouse, on assiste également à une fermeture progressive, bien que les privilèges du patriciat n'y soient pas aussi étendus qu'à Berne et dans les villes catholiques. Comme ailleurs, l'accession aux droits politiques est rendue impossible aux nouveaux habitants et là, ce sont les maîtres de corporations qui se réservent les charges gouvernementales.

Déjà prononcée avant l'Ancien Régime, *l'attitude autoritaire des villes à l'égard de la campagne* ne fait que se renforcer. Les consultations populaires, encore fréquentes au temps de la Réforme, disparaissent complètement au XVIIe siècle. Les villages et même les petites villes des régions rurales sont privées peu à peu de leur autonomie. Leurs habitants deviennent de simples «sujets de Leurs Excellences». Les paroisses rurales sont attribuées par privilège exclusif aux membres de la classe dirigeante des villes, de sorte que les vilains sont exhortés du haut de la chaire à plier l'échine devant leurs maîtres de droit divin.

2   La guerre des Paysans de 1653

Depuis le temps des guerres de Bourgogne puis de la Réforme, les griefs des habitants de la campagne à l'égard des villes ont fréquemment provoqué des troubles. La formation d'une oligarchie dans les villes accroît encore cette tension latente.

Si l'on excepte les Grisons, la Confédération est épargnée par la guerre de Trente Ans (1618-1648). Mais la couverture des frontières nécessite la levée de nouveaux impôts, le commerce des céréales et du sel est soumis à un monopole et les articles de luxe sont interdits. Ces nouvelles charges provoquent un *soulèvement dans la région de Zurich et en Suisse orientale* (1645), qui est brutalement réprimé; sept meneurs sont exécutés. Dans le pays de Berne, un boycott décrété par 70 communes fait échec à un nouvel impôt.

Mais la véritable insurrection n'éclate qu'après la fin de la guerre de Trente Ans. Berne et Lucerne dévaluent leur monnaie et fixent un délai si court pour l'échange des anciennes pièces qu'il est dépassé depuis longtemps lorsque la nouvelle se répand dans les campagnes. Un vent de révolte se lève aussitôt sur les pays sujets de Lucerne et de Berne, pour gagner bientôt les cantons de Soleure et de Bâle. La Suisse orientale est la seule à garder son calme, sur le Plateau; la récente répression y est pour quelque chose.

Le mouvement est mené par de riches paysans comme *Hans Emmenegger* (†1653), de la région lucernoise de l'Entlebuch, et *Niklaus Leuenberger* (1611-1653), de l'Emmental (Berne). Dans cette guerre, il s'agit moins d'améliorer la situation économique des petits paysans que d'obtenir le *rétablissement des anciens droits et des anciennes libertés*, accaparés depuis longtemps par l'aristocratie des villages.

Malgré une sévère mise en garde de la Diète annonçant que les attroupements et les émeutes seront punis de la peine de mort ou de châtiments corporels, les paysans rebelles de Lucerne, Berne, Soleure et Bâle se rassemblent à Huttwil (1653) où ils *renouvellent solennellement les anciennes alliances de la Confédération*. Ils opposent l'alliance des paysans à la coalition des seigneurs, en se référant aux légendes de Guillaume Tell et de la libération de la Suisse centrale.

Cependant, ces Messieurs des villes disposent de troupes sûres et ils n'auront aucune peine à écraser le mouvement. La répression est impitoyable : la Cour martiale de la Diète prononce des condamnations à mort et au bannissement, inflige des mutilations, de lourdes amendes, la privation d'anciens droits et privilèges. Le soulèvement paysan le plus important de l'histoire de la Confédération se termine sur une victoire totale des autorités.

Les aristocraties au pouvoir sont momentanément solidaires; Zurich et Berne croient tenir une occasion de remettre sur le métier la réforme du Pacte fédéral. Le bourgmestre de Zurich *Johann Heinrich Waser* (1600-1669) est chargé de rédiger une nouvelle Charte fédérale. Mais son projet restera lettre morte. Comme en 1531, les cantons ruraux se défendent avec acharnement contre tout empiètement des villes sur leur souveraineté. Trois ans après avoir anéanti ensemble le mouvement paysan, les aristocrates de la ville et de la campagne s'affrontent à nouveau les armes à la main.

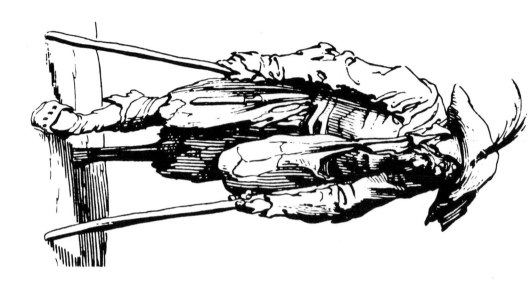

Le choc a lieu dans les bailliages d'Argovie. Les Bernois laissent plus de cinq cents morts sur le champ de bataille de *Villmergen* et la *troisième paix nationale* (1656) entérine pour un nouveau demi-siècle les prérogatives des cantons catholiques.

3 Division confessionnelle et neutralité

La tension latente qui règne entre les blocs confessionnels de la Confédération provoque surtout des incidents dans les bailliages communs. Des conflits d'importance variable éclatent régulièrement dans ces zones tampons, où les intérêts catholiques prédominent depuis 1531. Il peut s'écouler dix à seize ans jusqu'à ce qu'un bailli catholique cède sa place à un réformé. Les protestants s'estiment toujours lésés par l'autorité catholique et les catholiques ont le même sentiment à l'égard des protestants.

Les catholiques détiennent la majorité à la Diète, qui doit sans cesse trancher des différends confessionnels. Le rôle de conciliateur est souvent rempli par les villes de Bâle et Schaffhouse (réformées) et par celles de Fribourg et Soleure (catholiques), qui n'ont aucun bailliage commun à administrer. Il arrive aussi que la diplomatie étrangère intervienne lorsqu'un conflit confessionnel menace de faire tache d'huile. En effet, les puissances européennes ont tout intérêt à ce que la paix règne dans la Confédération, sous peine de voir compromis leur approvisionnement en mercenaires.

Le mercenariat, comme la division confessionnelle, joue un rôle essentiel dans la neutralisation de la Suisse au cours des conflits européens des XVIIe et XVIIIe siècles. Depuis 1614, tous les cantons –

△   *Mendiant et infirme.* Eau-forte du XVIIe siècle.

Lehrmittelverlag, Zurich 1979

◁   *Niklaus Leuenberger (1615-1653), natif de Schönholz, commune de Ruderswil (BE). L'assemblée de Sumiswald (1653) l'a porté à la tête du mouvement des paysans de Berne, Lucerne, Soleure et Bâle. Ce simple habitant de l'Emmental, qui ne lisait qu'avec peine, avait pour seuls atouts son intelligence et un don naturel d'orateur. Il a fini, après de longues tortures, sous la hache du bourreau de Berne.* Aquarelle de l'époque d'un artiste inconnu.

Musée des Beaux-Arts de Bâle, Cabinet des estampes

Zurich compris – se sont liés à la *France* par un traité sur le service mercenaire. Simultanément, les cantons catholiques ont des engagements vis-à-vis de l'*Espagne* et de la *Savoie*, les cantons réformés vis-à-vis de *souverains allemands et hollandais*, alors même que ces puissances ne cessent de s'affronter les unes aux autres. Les Confédérés adoptent une singulière politique de neutralité qui veut, par exemple, qu'à la bataille de Malplaquet (1709, guerre de succession d'Espagne) des mercenaires suisses se battent aussi bien du côté français que du côté hollandais et s'exterminent réciproquement. En payant assez on est sûr de trouver dans la Confédération les soldats qu'on cherche; par contre, «pas d'argent, pas de Suisses!»

Depuis la guerre de Trente Ans, les Confédérés se sont efforcés de rester neutres dans les conflits européens. Les sympathies confessionnelles respectives n'auraient fait que creuser le fossé entre les cantons. La neutralité apparaît toujours davantage comme une condition de l'existence même de la Confédération. Dans le *Défensional de Wil* (1647), les cantons établissent le principe d'une force défensive commune. *La politique de la neutralité armée* est formulée pour la première fois par la Diète en 1674, alors que le roi de France annexe la Franche-Comté, devenant ainsi un voisin direct et menaçant pour la Suisse. Les grandes puissances reconnaissent *de facto* la neutralité de la Confédération en cessant dès le début du XVIIIe siècle de l'associer aux traités de paix européens.

L'alliance avec la France joue un rôle déterminant pour la Confédération aux XVIIe et XVIIIe siècles. Même si tous les cantons n'y adhèrent pas en permanence, l'or français exerce une très forte influence sur la politique fédérale. A l'apogée du règne de Louis XIV, la Confédération pourrait passer pour un protectorat français.

Guerre des paysans, 1653. «Défense désespérée des derniers survivants du △ *mouvement dans l'Entlebuch.» Almanach de Disteli, 1840. Souvent, lors de cette guerre, les rebelles avaient à leur tête les «trois Tells», qui symbolisaient à la fois le héros de la liberté et les trois Confédérés de 1291. Les combattants acharnés de cette scène sont deux des «trois Tells», encerclés et réfugiés sur le toit d'une grange.*

Bibliothèque nationale suisse, Berne

Diète de Baden, 1653. Gravure sur cuivre, vers 1730. ▷

Bibliothèque centrale, Zurich, Cabinet des estampes

Tandis que le conflit autour de la succession d'Espagne fait rage en Europe, les villes réformées parviennent enfin à briser la position dominante des cantons catholiques. La *deuxième bataille de Villmergen*, de 1712, tourne à l'avantage des villes. Aux termes de la *quatrième paix nationale*, signée la même année, les cantons catholiques doivent quitter le bailliage commun de Baden, qui entrave les communications entre Zurich et Berne. Les conflits confessionnels seront désormais tranchés par une commission paritaire, et non plus par la majorité catholique. On assiste dès lors à une *diminution sensible des tensions autour des bailliages communs*, même si la véritable réconciliation entre les deux blocs confessionnels est encore loin.

La Révolution helvétique

1 La croissance industrielle au XVIIIᵉ siècle

La victoire des cantons protestants en 1712 marque le terme de deux
siècles de luttes religieuses, mais *elle modifie également les rapports de
force au profit des villes qui sont en pleine croissance industrielle.*
Certes, il n'y a que peu de changements politiques jusqu'en 1798; les
idées réactionnaires et l'esprit de caste de l'aristocratie donnent
toujours le ton. En revanche, une révolution silencieuse est en train de
s'accomplir, tant dans le domaine social que sur le plan économique.
Le rationalisme économique se répand rapidement, témoignant d'un
profond *changement de mentalité.*

Des sociétés physiocratiques se font les championnes du *progrès de
l'agriculture.* Elles partent d'une idée simple : travailler au renouveau
de l'économie agricole selon les données de la Raison est la meilleure
façon de servir sa patrie et le bien public. En diffusant des écrits
didactiques et en décernant des prix, ces sociétés suscitent une
meilleure utilisation du sol et des méthodes de production plus
efficaces. On peut citer ici l'exemple du paysan zurichois *Kleinjogg*,
devenu célèbre pour avoir réalisé une ferme modèle et s'être
considérablement enrichi.

L'idée d'une *économie commerciale* pénètre lentement dans les
campagnes. La création de champs par des particuliers sur les terres
communales qui servaient jusque-là de pâturages publics profite
surtout aux riches cultivateurs. L'introduction de la stabulation
permet le fumage des champs et une meilleure utilisation des terres en
jachère. La pression démographique croissante provoque des disettes
périodiques et l'on entreprend la culture de la pomme de terre et du
trèfle en abandonnant peu à peu l'assolement triennal.

La *population* augmente, surtout à la campagne, passant de 1,2
million en 1700 à 1,6 million en 1800. Le service étranger peut
absorber cinquante à quatre-vingt mille hommes, mais son attrait

diminue au cours du XVIIIᵉ siècle. Une forte extension de l'élevage et le partage des terres communales provoquent une surpopulation permanente dans les campagnes. Plus que jamais, les petits paysans et les ouvriers journaliers sans propriété ont besoin d'une autre occupation pour vivre.

L'industrie fondée sur le travail à domicile (Verlagssystem) bénéficie largement de cette situation démographique. La fabrication de fils et de toiles de coton, la production de toiles imprimées (indiennes), le tissage de la soie, la fabrication de rubans et la broderie connaissent un essor remarquable, surtout au nord et à l'est du pays, tandis que les anciennes industries textiles, le travail du lin et de la laine, perdent du terrain. L'horlogerie, quant à elle, se développe surtout à Genève, à Neuchâtel et dans le Jura. Bientôt, des centaines de milliers d'habitants de la campagne tirent leur revenu principal ou accessoire du travail à domicile. *La Suisse connaît au XVIIIᵉ siècle une très importante phase d'industrialisation, qui en fait jusqu'à la Révolution helvétique le pays le plus industrialisé du continent.*

Même si la misère ne disparaît pas avec la généralisation du travail à domicile, l'industrie textile représente une ressource indispensable pour de nombreux campagnards; elle permet même par période un certain bien-être dans les régions rurales. On gagne plus facilement sa vie en filant ou en tissant qu'en travaillant la terre. C'est ainsi que pour beaucoup d'ouvriers à domicile, l'agriculture devient une activité accesssoire, ce qui les expose bien davantage aux effets des fluctuations de prix des produits alimentaires, souvent très fortes. En 1723, un ouvrier à domicile de l'industrie textile doit travailler de un à trois jours pour gagner cinq livres de pain; en 1762, il s'en tire en une demi-journée; en 1771, année de disette, il lui faut presque une semaine entière, tandis qu'en 1780 il lui suffit de nouveau d'une journée.

2 Signes avant-coureurs de temps nouveaux

Les idées nouvelles qui commencent à se répandre font pressentir l'approche de temps nouveaux. Le calvinisme dogmatique, cristallisé une nouvelle fois en 1675 dans le texte « Formula Consensus », perd de sa rigidité. Le libéralisme religieux fait son apparition dans les villes catholiques dominées par le patriciat. Des savants comme *Johann Bernoulli* (1667-1748), *Leonhard Euler* (1707-1783) et *Albert de Haller* (1708-1777) contribuent à enrichir la science du siècle des Lumières. Les expériences pédagogiques et les écrits d'*Henri Pestalozzi* (1746-1827) sont connus bien au-delà des frontières helvétiques. On voit apparaître un nouveau *sentiment national,* nourri de l'opposition aux monarchies absolues environnantes. C'est dans ce contexte que sont fondés la *Société helvétique* et d'autres cercles patriotiques et rationalistes, qui associent le patriotisme à la recherche du bien et de l'intérêt général.

Mais l'évolution ne se limite pas au domaine des idées. Des troubles éclatent tout au long du XVIIIᵉ siècle: *soulèvements populaires, complots contre la domination du patriciat* et, dans de nombreux cantons, *conflits autour de la Constitution.* Les sujets s'accomodent de plus en plus mal de l'incapacité juridique, du poids des impôts et de l'infériorité économique des régions rurales face aux centres principaux.

Dans les villes, les habitants exclus du gouvernement réclament toujours plus énergiquement la participation au pouvoir politique. A *Genève,* tout le XVIIIᵉ siècle est marqué par les luttes au sujet de la Constitution, qui débouchent sur des conquêtes démocratiques parfois ressenties comme une menace par les aristocraties et les monarchies de l'Europe entière. Les événements de Genève sont un des signes avant-coureurs de la Révolution française. Après les premiers troubles de 1704-1707, l'oligarchie doit céder une partie de ses pouvoirs à la bourgeoisie en 1737. Au cours d'un *soulèvement populaire* dirigé par *Isaac Cornuaud* en 1782, une grande partie des habitants privés de droits obtiennent de participer à la vie politique de la cité.

A *Berne,* en revanche, une conspiration contre le patriciat échoue en 1749; son chef, *Samuel Henzi* (1701-1749), et quelques-uns de ses camarades sont exécutés. C'est déjà sous l'influence de la Révolution française que des sujets de la campagne zurichoise rédigent le *Mémorial de Stäfa* (1794); il réclame l'égalité des droits des citadins et des campagnards, la liberté du commerce et de l'industrie, la suppression des dernières charges féodales et, enfin, le libre accès aux études et à la carrière d'officier. Là non plus la répression ne se fait pas attendre. Le patriciat s'accroche à ses privilèges et tente de sauver par tous les moyens un régime anachronique.

3 La chute de l'Ancienne Confédération

Les Confédérés restent neutres pendant la première guerre livrée par les puissances européennes à la France révolutionnaire. Toutefois, après l'occupation de l'Italie du nord par Napoléon, la pression militaire sur le territoire de la Confédération augmente, car les *cols suisses*, qui assurent une communication directe entre Paris et Milan, sont d'un intérêt stratégique pour l'armée française.

En décembre 1797, lorsque la France occupe le territoire de l'évêché de Bâle dans le Jura, le Grand Conseil bâlois se dépêche d'accorder la liberté et l'égalité des droits aux sujets de la ville. Le maître des corporations, *Pierre Ochs* (1752-1821), est un partisan convaincu du renouveau démocratique et pousse l'aristocratie à agir avant que l'orage ne fonde sur elle, à faire la révolution de son propre chef. Il espère prouver à la face du monde qu'une aristocratie peut opérer sa propre démocratisation.

Le pays de Vaud compte également un bouillant défenseur de la Révolution en la personne de *Frédéric César de La Harpe* (1754-1838). La libération de Berne et la naissance de la *République lémanique* sont proclamées avant même l'arrivée des troupes françaises, le 28 janvier 1798.

La Diète reste indécise devant l'avance de l'armée française. Dans le Bas-Valais et les vallées du sud des Alpes, les sujets se proclament libres; Zurich et Schaffhouse établissent l'égalité des droits. En Argovie et ailleurs, on salue les Français comme des libérateurs venus mettre fin à l'absolutisme du patriciat. *L'ordre ancien est en train de s'effondrer.* Berne tente d'affronter seule l'armée française, mais elle

Soulèvements populaires du XVIIIe siècle: répression de la révolte de la Léventine △
contre Uri (1755). Les habitants de la région furent obligés de prêter un serment de fidélité aux Uranais puis d'assister, à genoux et tête nue, à l'exécution de leurs trois chefs les plus connus. Une pertie des rebelles furent emmenés à Altdorf (chef-lieu du canton d'Uri), pour y être à leur tour exécutés. La Léventine fut privée de ses principaux droits. Tract de l'époque.

Benziger Verlag, Zurich 1960

Un arbre de la liberté est érigé à Bâle en 1798. Estampe de Friedrich Kaiser. ▷

Musée historique, Bâle

est battue au *Grauholz* ; le 5 mars 1798, les vainqueurs font leur entrée dans la ville. Malgré la résistance qui se poursuit quelque temps encore en Suisse centrale, *la chute de Berne a scellé le sort de l'Ancienne Confédération.*

Ardemment souhaitée par beaucoup, la Révolution helvétique a triomphé, mais sous le signe de la domination étrangère. Napoléon fait aussitôt proclamer la nouvelle Constitution, préparée par Pierre Ochs (1798). D'une Confédération d'Etats extraordinairement morcelée, cette Constitution se propose de faire une *République une et indivisible.* Son premier article le souligne : « Il n'y a plus de frontières entre les cantons et les pays sujets, ni de canton à canton. » Dans la *République helvétique,* la souveraineté appartient au peuple et, comme en France, le pouvoir exécutif est exercé par un Directoire de cinq membres.

On ne s'étonnera pas que les anciens maîtres du pays se soient opposés avec vigueur à un changement aussi radical du système politique.

4 La longue marche vers l'Etat fédéral

De la Constitution de 1798 à l'Etat fédéral de 1848, la transition est longue et laborieuse, marquée par plusieurs phases de recul. La *crise de l'Etat* est permanente au cours de ce demi-siècle ; forces conservatrices et forces novatrices s'affronteront plus d'une fois les armes à la main.

La République helvétique ne tarde pas à connaître des luttes internes entre les *unitaires,* favorables à la centralisation, et les *fédéralistes,* qui réclament un retour à la souveraineté des cantons. Le pouvoir ne reste jamais longtemps entre les mains du même parti. Cinq coups d'Etat se succèdent de 1800 à 1802, et la guerre civile éclate dès que les troupes napoléoniennes ont tourné le dos.

Napoléon se hâte de réoccuper la Suisse et promulgue en 1803 une *nouvelle Constitution,* dite *Acte de Médiation* parce qu'elle est destinée à concilier les deux parties en lutte. Aux termes de ce texte, qui reste en vigueur dix ans, *La République helvétique d'unitaire devient fédérative,* et l'effervescence politique diminue tandis que les cantons recouvrent leurs droits.

Six nouveaux cantons viennent s'ajouter aux treize premiers: il s'agit de l'*Argovie*, de la *Thurgovie*, du *Tessin* et de *Vaud* (tous anciens pays sujets), des *Grisons* et de *Saint-Gall* (anciens alliés). Dans les cantons à landsgemeinde, on retrouve à peu près la situation antérieure à la Révolution, alors que dans les nouveaux cantons, les partisans de la République helvétique dominent la vie politique. Tant que Napoléon est au pouvoir, les forces des unitaires et des fédéralistes restent en équilibre.

La défaite de Napoléon marque la fin de la période de la Médiation. Au moment de la *Restauration* de 1815, le *Congrès de Vienne* fait de la Suisse une Confédération d'Etats, tout en reconnaissant sa *neutralité*. Le titre officiel de «Confédération suisse», encore en vigueur aujourd'hui, remonte à cette date. Les aristocrates retrouvent leurs privilèges. A la Diète, chaque canton dispose d'une voix, comme par le passé. La liberté d'établissement et la liberté d'industrie sont abandonnées. La Suisse est dotée de trois nouveaux cantons, entièrement ou majoritairement francophones: *Genève*, le *Valais* et *Neuchâtel*, tandis que Berne se voit octroyer le *Jura*, également francophone, en remplacement de l'Argovie et du pays de Vaud. La roue de l'histoire semble tourner en sens inverse.

Mais en juillet 1830, l'écho des combats de rue de la Révolution qui se déroule à Paris remet tout en question. Les courants libéraux de Suisse retrouvent également une nouvelle vigueur et la *Régénération* peut commencer. Dans de nombreux cantons, l'aristocratie est renversée; assemblées populaires et pétitions se multiplient. Les Constitutions qui entrent en vigueur sont généralement fondées sur la *démocratie représentative* et les *libertés modernes: libertés personnelles (habeas corpus), de croyance, de presse; droit d'association et de réunion; droit de propriété; liberté du commerce et de l'industrie, liberté d'établissement.*

A Bâle, les tensions de la Régénération provoquent une guerre civile entre la ville et la campagne, qui s'achève sur la séparation en deux demi-cantons (1833). Le renouveau libéral connaît certains revers après 1830: la tentative de révision du Pacte fédéral de 1815 est un échec; à Zurich et à Lucerne, des coups de force conservateurs écartent les radicaux du gouvernement. Mais l'ascension du libéralisme est devenue irrésistible.

Victoire du libéralisme et naissance de l'Etat fédéral

1   La victoire politique des libéraux

Les grands changements historiques s'effectuent bien souvent dans la violence. La *naissance en 1848 de l'Etat fédéral suisse* ne fait pas exception. Depuis la Révolution de Juillet, la lutte pour le pouvoir se traduit dans les cantons par une suite ininterrompue de conflits politiques et d'incidents militaires. *L'opposition populaire à la domination de l'aristocratie et aux privilèges de l'Eglise ne cesse de gagner du terrain: on réclame la suppression des prérogatives des familles au pouvoir, l'élection d'assemblées législatives, la liberté d'opinion et la limitation du pouvoir de l'Eglise.* Les champions de la Régénération veulent également passer d'une *confédération d'Etats sans cohésion* à un *Etat moderne et centralisé.*

Les arguments économiques se mêlent aux arguments politiques. Tandis que certains révolutionnaires radicaux prennent les armes au nom de la Liberté et de la Démocratie – ainsi *Johann Ulrich Ochsenbein* (1811-1890) à Berne, ou *James Fazy* (1794-1878 à Genève – les libéraux modérés, comme le Zurichois *Alfred Escher* (1819-1882), veulent surtout réaliser l'unification des poids et des mesures, de la monnaie et des douanes. La bourgeoisie, désireuse de développer le commerce et l'industrie, souhaite en effet la *création d'un espace économique national, soumis partout aux mêmes conditions.*

Le *Pacte fédéral de 1815,* toujours en vigueur, a été conçu avant tout pour maintenir les privilèges des familles au pouvoir; il constitue un obstacle au changement social et économique. Les cantons défendent avec acharnement l'ordre ancien. Pour résister au libéralisme, les cantons catholiques de Suisse centrale font venir les Jésuites à Lucerne et forment une alliance militaire défensive, dite *Sonderbund* (alliance séparée). Ils ne reculent devant rien pour sauvegarder le *statu quo,* allant jusqu'à conclure une alliance avec des puissances étrangères.

Les radicaux, indignés, intensifient l'agitation contre le conservatisme catholique.

L'aggravation du conflit survient en 1845, au moment où sévissent une sérieuse crise économique et la dernière grande disette de l'histoire suisse. Pendant deux ans, une maladie de la pomme de terre, qui fait des ravages dans toute l'Europe, détruit jusqu'à deux tiers des récoltes. Le renchérissement général qui en résulte place l'industrie textile des régions rurales devant des difficultés aiguës. Dans une région fortement industrialisée comme l'Oberland zurichois, la pauvreté est telle que près de 20 % des habitants en sont réduits à demander l'assistance des communes.

A la Diète, organe suprême de la Confédération, les libéraux-radicaux disposent de la majorité : 12 voix entières et 2 demi-voix sur un total de 22 ; encore faut-il préciser que ces voix représentent 80 % de la population et les régions économiquement les plus fortes du pays. Aussi la Diète prononce-t-elle en 1847 la dissolution du Sonderbund. Elle envoie contre les rebelles une armée de 100 000 hommes dirigée par le général *Guillaume-Henri Dufour* (1787-1875). Après une brève campagne (dite guerre du Sonderbund), les troupes fédérales occupent Lucerne le 24 novembre 1847 ; quelques jours plus tard, le Valais, dernier îlot de résistance, capitule à son tour.

La victoire du libéralisme est définitive.

La nouvelle Constitution fédérale, qui entre en vigueur en 1848, consacre de nombreux droits civils, comme la liberté d'établissement, la liberté d'association et l'égalité devant la loi. Mais elle ménage aussi les vaincus en maintenant, dans une large mesure, la souveraineté cantonale. Le choix du bicamérisme va dans ce sens : la deuxième Chambre assure aux petits cantons catholiques une influence plus

△ *Caricature d'un prédicateur jésuite, par Martin Disteli (1802-1844). Disteli, bouillant partisan du mouvement radical, s'est battu pour cette cause, à la fois comme dessinateur et comme soldat. Son almanach illustré était interdit dans plusieurs cantons.*
Musée d'art et d'histoire, Genève

◁ *La bataille de Gislikon, 23 novembre 1847. Des troupes zurichoises attaquent une position du Sonderbund.*
Der Sonderbund, Verlag Ed. Schäubli, Zurich 1913

grande que leur importance réelle; on manifeste ainsi le souci de protéger les minorités. Les principales entraves au développement économique sont éliminées: l'Etat fédéral est seul à percevoir des droits de douanes et à battre monnaie; un système fédéral de poids et mesures est mis en place.

Les vainqueurs libéraux-radicaux obtiennent d'emblée la majorité au Parlement et vont la conserver pendant plusieurs décennies. Jusqu'en 1891, ils occuperont tous les sièges du Conseil fédéral (exécutif), formé de sept membres.

La création de l'Etat fédéral en 1848 marque le triomphe définitif des libéraux-radicaux, après dix-huit années de violents conflits. Leur hégémonie ne sera plus jamais sérieusement contestée par l'opposition catholique conservatrice, désormais réduite à un rôle marginal, ni par l'ancien patriciat. La voie est dès lors largement ouverte au développement capitaliste annoncé par la première moitié du siècle.

2   Les bases économiques du libéralisme

Un observateur anglais écrit en 1836, dans un rapport adressé au Parlement de Londres, qu'il n'y a pas sur tout le continent d'industrie plus prospère et plus dynamique que l'industrie suisse. Au milieu du siècle, la Confédération est considérée comme le *pays le plus industrialisé d'Europe continentale.*

Mais, à la différence de l'Angleterre, on ne trouve pas, concentré dans les villes, un prolétariat formé de paysans déracinés. *L'industrie qui repose avant tout sur le travail à domicile, a un caractère rural marqué.* Même les établissements qui ont déjà mécanisé leur production se fixent à la campagne, au bord des cours d'eau, et

Atelier de tissage aménagé en sous-sol, pays d'Appenzell, vers 1840. Gravure sur   △
cuivre d'après J. Schiess.
Verein für wirtschaftshistorische Studien, Zurich 1968

Filature de coton de l'entreprise Rieter à Niedertöss, canton de Zurich, vers 1845.   ▷
L'entrepreneur a rapidement adjoint un atelier de mécanique à son établissement, puis il est devenu producteur de machines textiles.
Schweizer Verlagshaus AG, Zurich 1976

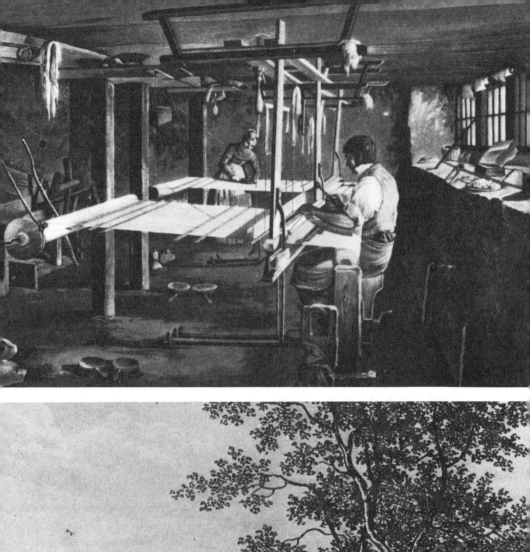

recrutent leurs ouvriers dans les villages environnants. Le travailleur parcourant sac au dos le chemin – parfois très long – qui le sépare de la fabrique, après avoir terminé ses travaux d'écurie, est une figure typique de l'industrialisation de la Suisse jusqu'au dernier tiers du XIXe siècle.

Le travail du coton est l'industrie dominante. La fabrication de fils et de toiles a commencé à se répandre au XVIIe siècle, surtout en Suisse centrale. Les travailleurs à domicile reçoivent la matière première de l'entrepreneur, qui habite en général Zurich ou Saint-Gall, et la transforment à la maison. Entre les capitalistes et les ouvriers interviennent d'ordinaire des intermédiaires ou transporteurs, qui acquièrent souvent les connaissances techniques, les moyens financiers et l'expérience du marché nécessaires pour devenir à leur tour entrepreneurs. C'est parmi eux que se crée *l'opposition libérale à l'aristocratie des villes* et ce sont souvent eux qui ouvrent les nouvelles *fabriques.* La première filature mécanique s'ouvre à Saint-Gall en 1801. Dans le secteur du tissage, la mécanisation est introduite au cours des années trente. Pendant des décennies, les ouvriers à domicile mènent une lutte désespérée contre les machines, incendiant par exemple un atelier de tissage mécanique à Uster en 1832. Mais les fabriques vont s'imposer définitivement et l'industrie textile suisse réussira sa percée sur les marchés mondiaux.

Outre l'industrie du coton, il faut citer le travail de la soie en Suisse orientale et à Bâle. L'abolition des corporations à Genève se révèle favorable à l'horlogerie. On trouve cette industrie tout le long de la chaîne du Jura, jusqu'à Bâle. Elle gardera longtemps, elle aussi, un caractère domestique et rural.

3   La fièvre des chemins de fer et la domination libérale

Avec la suppression des barrières douanières intérieures, l'unification monétaire, l'adoption d'un système fédéral de mesures et la création d'un service postal fédéral, l'infrastructure nécessaire au développement commercial du pays est presque assurée, mais il y manque encore un réseau de chemins de fer. Jusqu'à la création de l'Etat fédéral, la Suisse ne peut exhiber qu'un seul et modeste tronçon de

Entrée nord du tunnel du Saint-Gothard peu avant l'achèvement des travaux, vers 1880. Exploit technique, le percement de cette galerie de 15 km fut aussi un symbole de l'industrialisation et du progrès. La ligne du Saint-Gothard est aujourd'hui encore un des principaux axes ferroviaires à travers les Alpes.

Bibliothèque de l'EPF, Zurich

Zurich à Baden; Bâle est desservie par les chemins de fer alsaciens depuis 1844. La Suisse a donc accumulé un certain retard et les hommes au pouvoir s'apprêtent à mettre les bouchées doubles. La loi sur les chemins de fer votée en 1852 prévoit des compagnies privées, placées sous l'autorité des cantons. Le résultat ne se fait pas attendre: on voit apparaître un réseau ferroviaire étendu, exploité par des compagnies petites et moyennes qui se livrent une concurrence sans merci et ne peuvent en général se passer de l'aide des cantons et des communes. En même temps se forme autour des chemins de fer un inextricable enchevêtrement d'intérêts financiers et de mandats politiques.

Les chefs du mouvement libéral n'hésitent pas à cumuler les fonctions: capitaines d'industrie, ils occupent en même temps de hautes charges politiques et organisent le nouvel Etat fédéral. En outre, ils placent dans les commissions parlementaires et la fonction publique des amis dévoués ou des relations d'affaires. Un véritable népotisme s'installe. On emploie bientôt le terme de «système» pour désigner l'ensemble des procédés de la bourgeoisie libérale. *Alfred Escher* est un des représentants les plus connus de ce «système». Titulaire d'innombrables et hautes fonctions dans l'Etat fédéral, il est également propriétaire des Chemins de fer du Nord-Est et fondateur d'une grande banque, le Crédit Suisse (1856). *L'ouverture d'établissements bancaires constitue, avec la construction des chemins de fer, un des traits marquants de la période qui suit la création de l'Etat fédéral.* Les seules années cinquante voient naître six banques commerciales, dotées d'un capital-actions considérable pour l'époque. Il s'agit de répondre à l'énorme demande de capitaux suscitée par la construction des chemins de fer et la mécanisation de l'industrie textile. Le capital des familles patriciennes, placé jusque-là dans les campagnes sous forme de prêts hypothécaires presque permanents, afflue maintenant vers les nouvelles banques par actions. Les paysans et les artisans à la recherche de crédit n'ont plus affaire à un créancier privé, mais à une société anonyme qui s'intéresse davantage au financement de grands projets commerciaux qu'aux opérations hypothécaires. *Philippe-Antoine de Segesser* (1817-1888), conservateur lucernois et observateur critique de son époque, relève que, dans les vallées reculées du pays, les cours de la bourse de Zurich ont autant d'importance qu'autrefois la lutte contre les baillis.

Dessin satirique sur le thème de la construction des chemins de fer. Après 30 ans de labeur, l'ouvrier n'est plus bon à rien et il se fait licencier. Pendant ce temps, l'actionnaire a pris de l'embonpoint...

Office du Livre / Union syndicale suisse

Le mouvement démocratique

1 L'opposition au système libéral

Le système libéral se crée très vite un grand nombre d'ennemis, dans les milieux les plus divers. Artisans et paysans confrontés à des difficultés économiques, intellectuels démocrates et fédéralistes conservateurs forment une opposition disparate. On y trouve d'un côté des éléments progressistes, en particulier des radicaux-démocrates et des socialistes (le mouvement ouvrier commence à s'affirmer, surtout dans les milieux d'artisans); de l'autre côté des forces conservatrices: la grande masse de la population rurale et les représentants des anciennes familles dirigeantes, qui défendent les traditions menacées par le tourbillon du progrès. Ce qui rapproche ces deux extrêmes, c'est la *volonté commune d'élargir les droits populaires et de mettre fin au régime représentatif libéral*. La classe ouvrière, nettement détachée de la petite bourgeoisie, ne joue encore qu'un rôle modeste; c'est la bourgeoisie progressiste qui est le fer de lance des revendications démocratiques. L'opposition démocrate ne vise pas seulement des réformes constitutionnelles. Elle préconise aussi la création de banques cantonales qui consentiraient des prêts aux petites gens, l'encouragement des coopératives, la gratuité de l'enseignement et une diminution de la charge fiscale. Dans les fabriques, la limitation de la durée du travail et la protection des enfants doivent éviter les pires abus. Telles sont les propositions autour desquelles les différents groupes d'opposition au gouvernement libéral se sont rassemblés.

2 Le mouvement démocratique dans les cantons et la révision constitutionnelle de 1874

Comme pendant les années trente, c'est dans les cantons que se produisent les premiers remous provoqués par les revendications démocratiques. Parti de Bâle-Campagne et avançant vers l'est, le mouvement touche la plupart des cantons du Plateau. A côté de différentes questions de politique sociale, il s'agit partout de l'extension des droits démocratiques. A Zurich, où les démocrates opposent à la devise libérale «tout pour le peuple» le slogan «tout par le peuple», ils réussissent en 1869 à imposer une profonde révision de la Constitution, après toutes sortes de luttes et de troubles. *Le gouvernement sera désormais élu directement par le peuple et toutes les lois adoptées par le Parlement seront soumises au vote populaire.* Même si tous les cantons ne sont pas ébranlés par des changements aussi radicaux, les démocrates marquent partout des points. Qu'on en juge: alors qu'en 1860, environ un million d'habitants connaissent encore des systèmes de démocratie représentative (sur une population totale de 2,5 millions), ils ne sont plus que 300 000 dix ans plus tard.

Les succès remportés par les démocrates dans les cantons rendent inévitable une révision de la Constitution fédérale. Un changement partiel intervient déjà en 1866 à l'occasion d'un traité de commerce avec la France (élimination des dispositions discriminatoires à l'égard des Juifs). Les démocrates veulent élargir le *référendum* * et donner à la Confédération le pouvoir de *légiférer en matière sociale.* De leur côté, les libéraux souhaitent aussi changer la Constitution sur certains points. Ils tiennent surtout à l'unification de l'armée et de la législation économique (liberté du commerce et de l'industrie, uniformisation du droit commercial, etc.).

Un premier projet de révision échoue en 1872 devant la *résistance conjuguée des fédéralistes de Suisse centrale (catholiques) et de Suisse romande (protestants)*; par exemple, le très radical canton de Vaud rejette la révision par 51 000 voix contre 3000. «Il nous faut les Welsches (les Romands) !»: tel est le mot d'ordre du second projet de révision, qui fait l'objet d'un nouveau scrutin populaire deux ans plus tard. On atténue certaines dispositions centralisatrices qui pourraient choquer, mais on renforce le contenu anticlérical du projet; but:

* Acte par lequel certaines décisions du pouvoir législatif sont soumises au suffrage populaire. Le référendum est obligatoire depuis 1848 pour les révisions de la Constitution. La Constitution de 1874 introduit le référendum facultatif: 30 000 (depuis 1977: 50 000) électeurs ou 8 cantons peuvent demander qu'une loi votée par le Parlement soit soumise au peuple. Pour être accepté, un référendum doit obtenir la majorité du peuple et des cantons. Les cantons et les communes connaissent aussi cette institution.

diviser l'opposition. Ce procédé a déjà fait ses preuves et il produit le résultat escompté. Et c'est dans l'atmosphère du *Kulturkampf* * qu'une nouvelle Constitution est adoptée en 1874.

Cette Constitution, toujours actuelle pour l'essentiel, a une signification contradictoire : elle marque l'achèvement de *l'unification de l'espace économique national,* et donc le couronnement du système libéral dans le domaine économique ; mais elle consacre aussi la fin de l'ère libérale en politique intérieure. Le passage de la démocratie représentative à la démocratie semi-directe moderne, dans laquelle, grâce au référendum, toute loi peut être soumise au scrutin populaire moyennant une récolte de signatures, est un des grands tournants de l'histoire suisse. *Le référendum est demeuré l'élément central du système politique de la Suisse.*

3 L'opposition catholique au radicalisme

A la suite de leur défaite de 1848, les conservateurs catholiques sont restés isolés à l'intérieur de la Confédération. Partisans d'une position de force du pape et de l'Eglise dans tous les domaines, anciens membres du Sonderbund – ils n'ont pas hésité à s'assurer le soutien idéologique et militaire des grandes puissances européennes (en particulier de l'Autriche-Hongrie) dans leur lutte contre le libéralisme – ils sont considérés comme des Confédérés de second ordre, des partenaires peu sûrs. Cependant, dans cette forteresse que constitue la Suisse centrale, leur pouvoir demeure intact grâce à la souveraineté cantonale.

Dans la Suisse du XIXe siècle, le terme de conservateur a une autre signification que dans les Etats voisins : le conservatisme n'est pas fondé sur la grande propriété foncière ou sur une oligarchie militaire, il désigne plutôt la défense des hégémonies locales et de l'autonomie culturelle contre le pouvoir central des libéraux-radicaux. Le catholique-conservateur Segesser, un des principaux adversaires du radicalisme, résume sa position par cette formule : « Tout au long de ma vie publique, j'ai parlé et j'ai voté en démocrate, en fédéraliste, en

---

* Terme employé pour désigner la lutte – entreprise tout d'abord par Bismarck en Allemagne – contre l'Eglise catholique et sa subordination au pouvoir du pape à Rome (ultramontanisme).

catholique. Ces trois notions déterminent mon attitude.» Les catholiques conservateurs forment une des ailes de l'*opposition supraconfessionnelle au centralisme libéral-radical*. Cette opposition comprend également des protestants, partisans du fédéralisme et de l'autorité de l'Eglise.

Tous les conservateurs ne sont pas catholiques et tous les catholiques ne sont pas conservateurs. Ce chevauchement des clivages religieux et politiques permet de cas en cas des alliances différentes. Pour arriver à ses fins, le radicalisme doit raviver les griefs contre les catholiques, sans quoi il se heurte à *une alliance qui défend, au-delà des divisions confessionnelles, soit le fédéralisme, soit les droits populaires*. Comme nous l'avons vu, c'est cette alliance qui a permis au mouvement démocratique de l'emporter, dans les cantons, sur les libéraux-radicaux jusque-là tout puissants. A la suite de l'introduction du référendum facultatif à l'échelon fédéral, les radicaux essuieront un certain nombre de défaites, qui les amèneront finalement à faire des concessions aux conservateurs et à accepter les catholiques comme des Confédérés à part entière.

Expansion de l'industrie
et nouveaux clivages politiques

1 Crise et changements structurels dans l'agriculture

La promulgation de la nouvelle Constitution fédérale n'est pas le seul événement marquant des années 1870 en Suisse. De profonds changements interviennent également dans la vie économique et sociale, et d'abord dans l'agriculture.

Les progrès de la navigation en haute mer et des transports ferroviaires précipitent l'agriculture suisse dans une grave crise. L'importation de grains bon marché d'Europe orientale et d'outre-mer connaît une forte augmentation à partir des années septante, entraînant une chute des prix : alors que 100 kg de blé coûtent environ 40 fr. en 1873, ils ne valent plus que la moitié en 1890. L'arrivée d'autres produits agricoles sur le marché suisse détériore encore la situation financière des paysans. Les uns émigrent, les autres se tournent vers l'*élevage*, pratiqué dans les régions de montagne depuis le moyen âge. La culture des champs marque un net recul : si la production intérieure de céréales couvre en 1850 plus de la moitié des besoins du pays, cette proportion tombera jusqu'en 1914 à 20 %.

Les paysans réussissent à stabiliser un peu leur situation en se regroupant dans des coopératives agricoles. Ils trouvent de nouveaux débouchés dans l'*exportation du bétail, du fromage, du lait condensé et du chocolat*. Mais l'*exode rural* se poursuit inexorablement. En 1888, 36 % de la population est occupée dans le secteur agricole. A la veille de la Première Guerre mondiale, ce chiffre ne sera plus que de 25 % ; à cette époque, seule l'Angleterre, hautement industrialisée aura un taux inférieur.

2 Naissance de nouvelles industries d'exportation

L'*horlogerie* et la *rubannerie de soie* travaillent depuis longtemps pour l'exportation. Depuis les années trente, l'industrie suisse du *coton*, devenue l'égale de son homologue anglaise, a commencé à conquérir des marchés étrangers. Mais la longue dépression économique qui débute en 1874 fait perdre à l'industrie textile sa position dominante dans l'économie suisse. Pour la première fois depuis des décennies, le nombre de broches * accuse un recul; l'introduction de la machine à vapeur et plusieurs autres innovations techniques entraînent un rapide processus de concentration. Les *industries chimique et mécanique*, complémentaires jusque-là de l'industrie textile, entament un développement indépendant et enregistrent d'excellents résultats. Alors que la Suisse ne possède ni gisements de métaux, ni charbon, ni autre matière première, elle réussit à créer en peu de temps des industries de niveau international.

L'industrie chimique bâloise, spécialisée dans la fabrication de colorants, acquiert une très forte position sur le marché mondial, qu'elle se partage avec quelques concurrents allemands. L'industrie mécanique récolte à l'Exposition universelle de Vienne, en 1873, de nombreuses distinctions. La généralisation de la machine à vapeur, et bientôt celle du moteur électrique, lui ouvrent de vastes marchés. Le nombre des emplois dans l'industrie mécanique, qui n'est que de 4000 environ en 1850, quadruple jusqu'en 1888 et double une nouvelle fois au cours des années nonante. A la veille de la Première Guerre mondiale, cette branche est devenue sans conteste la première industrie d'exportation de Suisse.

Il ne faut pas négliger le rôle de la construction des chemins de fer. D'une part, ce nouveau moyen de transport permet à la Suisse de faire venir de l'étranger les matières premières qui lui manquent et d'exporter sa production. D'autre part, les compagnies de chemins de fer passent à l'industrie mécanique des commandes considérables au cours de cette période.

Le tracé d'une ligne de chemin de fer à travers les Alpes suscite de longs débats entre les cantons de l'Est et ceux de l'Ouest du pays. C'est finalement sous le Gothard que passera la ligne et les pressions de

---

* Broche: dans les métiers à tisser, tige métallique recevant la bobine.

l'Italie et de l'Allemagne y sont pour beaucoup. Ces deux Etats financent une grande partie des travaux, en échange de tarifs de transport modérés. Le percement du tunnel, long de 15 km, est achevé en 1880; la nouvelle ligne est inaugurée deux ans plus tard. On peut dire qu'à cette date, le réseau ferroviaire suisse est achevé pour l'essentiel. 1300 km de voie ont été construits entre 1844 et le milieu des années soixante, puis 1400 nouveaux km jusqu'en 1885. La période comprise entre cette date et le début de la Première Guerre mondiale verra la réalisation de 700 km seulement.

3 Associations économiques et politique douanière

Les années septante et huitante sont connues sous le nom de *grande dépression*. Cette période est en effet marquée par une longue crise économique, entrecoupée de répits et de reprises momentanées. C'est dire que la doctrine du libre-échange, qui inspire pendant quelque temps la politique douanière des Etats européens, est vite abandonnée. Tous les pays mettent en place des *barrières douanières* pour protéger leur industrie. Les différentes branches industrielles tentent avec une efficacité variable d'infléchir la politique douanière dans le sens de leurs intérêts.

De nouvelles formes d'organisation apparaissent dans l'industrie et les métiers: l'*Union suisse du commerce et de l'industrie* voit le jour en 1870, l'*Union suisse des arts et métiers* en 1879. La Confédération propose bientôt à ces deux associations – comme, plus tard, aux *organisations faîtières des paysans et des ouvriers* – de les subventionner en échange de leurs informations et de leurs avis. L'administration fédérale, qui ne peut à elle seule avoir une vue d'ensemble sur les problèmes économiques, en est en effet réduite à une étroite collaboration avec les organisations professionnelles. Dès lors, ces organisations participeront activement et quasi officiellement à l'élaboration de la politique économique et sociale de la Confédération.

S'agissant des *tarifs douaniers* et des *traités de commerce*, les associations économiques ont des intérêts divergents; ces questions commencent par constituer l'essentiel de leurs débats et de leurs conflits. Mais ces organisations étendent peu à peu leur influence à d'autres domaines, en particulier au *droit des obligations*, aux *lois sur les chemins de fer* et aux premiers éléments de la *politique sociale* de la Confédération.

Les révisions des tarifs douaniers des années huitante et nonante et, plus encore, celle de 1902, provoquent une polarisation des intérêts en présence. *Une coalition protectionniste formée par les paysans et les milieux des arts et métiers se heurte à plusieurs reprises à un cartel contre le renchérissement regroupant l'industrie d'exportation (libre-échangiste), la gauche socialiste et les consommateurs.* Comme les tarifs douaniers sont soumis régulièrement au vote populaire, il est vital pour les associations économiques d'être suivies par leurs partisans. De ce point de vue, l'*Union suisse des paysans* arrive nettement en tête et *Ernst Laur* (1871-1964), son secrétaire pendant de longues années, exerce une influence considérable sur la politique économique suisse. Seuls quelques responsables de l'Union suisse du commerce et de l'industrie parviennent à jouer un rôle comparable.

La collaboration entre l'administration fédérale et les associations économiques ira en se renforçant. On assistera à la fin du XIXᵉ siècle et au début du XXᵉ à une institutionnalisation de leurs relations, qui obéiront bientôt à des règles précises et permettront à ces organisations d'exercer sur la politique fédérale une influence considérable, en marge du Parlement. Mais il faudra attendre plusieurs décennies pour que ce système reçoive une base constitutionnelle.

4 Effritement des anciens fronts politiques

Dans de nombreux domaines, la Constitution fédérale de 1874 se contente d'attribuer de nouvelles compétences à la Confédération; il reste à mettre en chantier les lois correspondantes. Cela ne se fait pas sans de sérieux affrontements, qui dominent la vie politique des années septante et huitante.

Les nouveaux droits obtenus par le peuple depuis l'instauration de la démocratie semi-directe suscitent de *violents conflits entre radicaux et catholiques.* Les vaincus du Sonderbund, qui ont encore subi le Kulturkampf, tiennent avec le *référendum* une arme efficace pour s'attaquer à l'hégémonie radicale. Une loi semble-t-elle limiter un tant soit peu les préprogatives des cantons ? Les catholiques réunissent aussitôt les 30 000 signatures nécessaires pour la soumettre à une votation populaire. Plusieurs référendums tumultueux secouent le pays. Les lois sur l'école, sur l'émission des billets de banque ou sur le rachat des chemins de fer sont rejetées; un projet sur la vaccination et un autre sur les patentes des commis-voyageurs subissent le même sort. Dix-neuf référendums sont lancés entre 1874 et 1891; les projets de loi de la majorité radicale ne trouvent grâce que six fois devant le peuple. D'où les lamentations du journal bernois *Der Bund* (gouvernemental): «Le référendum populaire, destiné à l'origine à sceller le lien entre l'ordre et la liberté, a été détourné de son but. Il est devenu un instrument de la révolution, qui cherche à saper l'Etat.»

Mais les choses n'iront pas aussi loin... Les concessions faites par les deux parties mettent fin au blocage de l'activité parlementaire. Au cours de la seconde moitié des années huitante, *les forces radicales-libérales et catholiques-conservatrices commencent à se rapprocher.* Quoique le bloc formé par les libéraux, les radicaux et les démocrates dispose de la majorité absolue au Parlement (il la conservera jusqu'à l'introduction du scrutin proportionnel, après la Première Guerre mondiale), *un conservateur est régulièrement élu au Conseil fédéral depuis 1891.* La majorité est disposée à payer ce prix-là pour l'intégration des catholiques à l'État radical.

Le premier conseiller fédéral conservateur est *Joseph Zemp* (1834-1908), de Lucerne. Après son élection, le clivage entre radicaux et catholiques commence à perdre de son importance. *La naissance du mouvement ouvrier et la création du Parti socialiste (1888) accélèrent cette évolution.* Le nombre des référendums conservateurs diminue nettement. On peut enfin prendre des décisions bloquées depuis longtemps. Ainsi, la Confédération est en mesure de procéder au rachet des chemins de fer et de fonder les Chemins de fer fédéraux (1906). L'organisation de l'armée, longtemps contestée, passe en 1907 le cap de la votation populaire; il en va de même, en 1912, de la loi sur l'assurance maladie et accidents. *Les fronts politiques ne seront plus du tout les mêmes à la veille de la Première Guerre mondiale: la plupart des conflits n'opposeront plus les radicaux et les catholiques, mais bien les ouvriers et les bourgeois des deux camps.*

Le mouvement ouvrier

1 Les débuts

Jusqu'à la fin du XIXe siècle, le mouvement ouvrier ne constitue pas un phénomène de masse. La Fédération ouvrière suisse, fondée en 1873, qui comprend aussi bien des cercles éducatifs et des caisses-maladie que des syndicats, ne dépasse guère l'effectif de 3000 membres, et l'*Union syndicale suisse,* qui lui succédera, ne dépassera ce chiffre qu'après 1890.

Par contre, un mouvement socialiste animé surtout par des *étrangers* existe depuis longtemps dans certaines villes. Genève et Zurich servent de refuge à de nombreux socialistes et anarchistes poursuivis dans leur propre pays. La Première Internationale de Marx et Bakounine compte quelques sections en Suisse romande, nées avant tout sous l'impulsion de ces exilés. Les lois anti-socialistes de Bismarck ont pour effet de gonfler l'effectif des ouvriers allemands immigrés en Suisse. Dès le milieu des années septante, plus d'un tiers des membres de la Fédération ouvrière sont des ouvriers et des compagnons allemands, occupés surtout dans l'industrie des machines.

La *Société du Grütli* va jouer un rôle essentiel dans l'organisation du mouvement ouvrier suisse. Cette association, dont l'origine remonte aux années trente, se propose d'améliorer la situation matérielle et morale de la classe ouvrière par l'éducation. *Elle représente un trait d'union – parmi d'autres – entre le mouvement démocratique et le mouvement ouvrier suisses.*

2 Syndicat et parti

En 1880, la Fédération ouvrière décide sa dissolution et la création d'une «organisation purement syndicale, fondée sur les principes du socialisme». A côté de cette *Union syndicale,* et selon l'exemple allemand, on compte mettre sur pied un *parti socialiste* chargé de défendre les intérêts du mouvement au niveau politique. Toutefois, le besoin d'un tel parti ne se fait pas sentir immédiatement et il ne sera fondé que huit ans plus tard.

Avec cette différenciation entre fonctions syndicale et politique sont jetés, dès la fin des années huitante les fondements du mouvement ouvrier moderne. Les effectifs de l'Union syndicale commencent à augmenter, en particulier après l'institution d'un fonds central de grève. La *création du Parti socialiste* en 1888 incite les radicaux (1894) et les conservateurs (1894-1912) à se donner également une organisation nationale.

La forte proportion des travailleurs étrangers en Suisse – ils représentent 15 % de la population avant la Première Guerre mondiale – joue un rôle décisif dans l'évolution du mouvement ouvrier. La moitié environ des membres de l'Union syndicale sont des étrangers, essentiellement des Allemands et des Italiens. Contrairement aux ouvriers suisses, ils n'ont pas de droits politiques et, pour défendre leurs intérêts, ils doivent se limiter aux moyens syndicaux, dont le principal est la grève. Leur combativité permanente entraîne une radicalisation des syndicats; l'Union syndicale finit par renoncer à sa neutralité politique et adopte un programme de «lutte de classes prolétarienne». Le courant réformiste du vieux leader ouvrier *Hermann Greulich* (1842-1925) perd du terrain, en particulier lors de la première *grève générale de Zurich (1912).*

Influencé par ce durcissement des syndicats, le Parti socialiste abandonne à son tour ses positions modérées des années huitante et fait sien un programme inspiré du marxisme de la Deuxième Internationale. Sa principale revendication politique se rattache cependant à la tradition des démocrates: le Parti socialiste réclame *l'introduction du scrutin proportionnel*; le système majoritaire le

condamne en effet à n'avoir qu'une poignée de députés au Parlement *.

3 Protection des travailleurs et diminution de la durée du travail

La *loi fédérale sur les fabriques* est l'enjeu de la première grande lutte politique déclenchée au XIXe siècle par le mouvement ouvrier. Comme partout, l'industrialisation a créé en Suisse des conditions de travail et de vie inhumaines: 14 heures de travail par jour, absence totale d'hygiène dans les ateliers, femmes et enfants astreints à des tâches très dures, etc. Dans certains cantons, le travail des enfants est des adolescents est déjà réglementé par des lois, qui restent en général très rudimentaires. S'appuyant sur les résultats d'une enquête réclamée par les démocrates, les Chambres fédérales adoptent en 1877 la loi sur les fabriques, qui étend la protection des ouvriers à toute la Suisse et limite la journée de travail à 11 heures. Les patrons protestent violemment; l'Union suisse du commerce et de l'industrie lance un référendum, qui échoue. L'adoption de cette loi est le premier succès du mouvement ouvrier suisse; elle hâte l'avènement d'une politique sociale que la Confédération tarde à mettre en place. L'application de la loi sur les fabriques – en particulier des articles sur la durée du travail et sur les dispositifs de sécurité – suscitera de très nombreuses controverses. Dans ce contexte, la création d'une presse ouvrière, porte-parole du monde du travail, aura une grande portée.

Les syndicats mettront plusieurs années à faire admettre le principe de la journée de 10 heures. Une révision de la loi sur les fabriques sera finalement acceptée, mais l'entrée en vigueur du nouveau régime sera retardée de quelques années par la Première Guerre mondiale.

---

* Dans le système majoritaire, la totalité des sièges d'une circonscription est attribuée au parti qui y obtient la majorité des suffrages. Dans la représentation proportionnelle, au contraire, les élus de chaque parti sont en nombre proportionnel aux voix recueillies par leur parti. Ce dernier mode de scrutin est donc plus favorable aux petits partis.

La Première Guerre mondiale, période d'affrontements internes

1   Le fossé entre la Suisse alémanique et la Suisse romande

La Première Guerre mondiale surprend la Suisse comme un coup de tonnerre dans un ciel bleu; elle n'y est pas préparée politiquement et rien n'est prévu pour son approvisionnement. Même si sa neutralité est formellement sauvegardée, si elle n'est pas directement impliquée dans la guerre, ces années marquent dans son histoire une rupture tout aussi profonde que pour les pays voisins.

La prédominance traditionnelle de la Suisse alémanique, due à sa supériorité économique et démographique, devient soudain un problème politique majeur. Tandis que les Suisses alémaniques sont tournés vers l'Allemagne, intellectuellement aussi bien qu'économiquement, l'intérêt et les sympathies des Romands vont à la France. Au cours de la guerre entre la France et l'Allemagne, les prises de position passionnées des uns et des autres creusent entre les deux parties du pays ce qu'on a appelé «le fossé».

Malgré les protestations de la Romandie, la suprématie suisse alémanique est encore accentuée par la désignation à la tête de l'armée de *Ulrich Wille* (1848-1925), partisan notoire du militarisme prussien. Les informations transmises aux Allemands par le service de renseignements de l'armée et la révélation d'autres affaires militaires ne laissent planer aucun doute sur les sympathies proallemandes du haut commandement et provoquent de nouveaux troubles en Suisse romande et au Tessin. En 1917, le conseiller fédéral Hoffmann s'engage même si loin dans la recherche d'une paix séparée entre la Russie et l'Allemagne qu'il doit démissionner sur-le-champ lorsque sa mission diplomatique est ébruitée. Pour apaiser l'indignation des Romands et des alliés, on accorde à la Romandie un deuxième siège au Conseil fédéral, qui ne lui sera jamais contesté par la suite. La tension entre régions linguistiques ne se relâche qu'après la victoire française, lorsque la Suisse officielle se rapproche des alliés et qu'elle entre à la Société des Nations.

2   L'antagonisme entre la classe ouvrière et la bourgeoisie

Le *durcissement des conflits sociaux* joue un rôle dans la diminution des tensions entre régions linguistiques: devant la pression du mouvement ouvrier, la bourgeoisie doit refaire son unité par delà les frontières linguistiques.

Après quelques difficultés d'adaptation, l'industrie suisse profite largement de la guerre. Ses exportations de part et d'autre du front atteignent un tel volume que la balance commerciale du pays, traditionnellement négative, affiche pour la première fois un solde positif. Les bénéfices de guerre des industries mécanique, horlogère et chimique, et ceux des exportateurs de bois, montent en flèche. La situation est également favorable aux paysans. Le monopole qu'ils exercent sur le marché des produits alimentaires leur assure dans le pays une influence bien supérieure à leur importance numérique.

Mais les fruits de la conjoncture de guerre sont très inégalement répartis. C'est surtout la classe ouvrière des villes qui souffre des conséquences de la guerre. Les syndicats, très sérieusement affaiblis par le départ de plusieurs dizaines de milliers d'étrangers rentrés au pays et par la mobilisation des Suisses, restent sans défense devant le *chômage*, la *diminution des salaires* et l'*inflation*. Les autorités ne prennent que des demi-mesures contre les accapareurs et les spéculateurs de toute espèce; l'inflation devient de plus en plus aiguë: de 1914 à 1918, les prix des denrées alimentaires montent de 130 % en moyenne. Les soldats mobilisés pour la couverture des frontières perdent en général leur emploi. Une fois le salaire de la quinzaine épuisé, les familles sont sans ressources. Il n'y a pas encore de compensation des pertes de gain pendant les périodes militaires, et l'assistance publique doit secourir de nombreuses familles ouvrières.

3   Grève générale et formation d'un bloc bourgeois

Au cours de la seconde moitié de la guerre, la classe ouvrière, en butte à des difficultés économiques croissantes, durcit son action. A fin 1916, l'Union syndicale a retrouvé ses effectifs d'avant-guerre. Le mouvement ouvrier abandonne la politique d'union sacrée *; les grèves et les manifestations contre les hausses de prix se multiplient. En février 1918, le dirigeant ouvrier *Robert Grimm* (1881-1958) réunit les principaux secrétaires syndicaux du pays, quelques représentants du Parti socialiste et les délégués des principales villes en un comité d'action qui va prendre le nom de *Comité d'Olten* et exercer pendant les journées critiques de 1918-1919 la direction effective du mouvement ouvrier suisse.

Les autorités politiques montrent toujours moins d'assurance face à cette radicalisation des masses. Lorsqu'en novembre 1918, l'armée occupe Zurich sous le prétexte de prévenir un putsch, un appel à la grève générale est lancé, d'abord au niveau local et bientôt au niveau national : c'est *la grève générale illimitée dans tout le pays*. Près de 250 000 travailleurs y participent, essentiellement dans les grandes agglomérations de Suisse alémanique. Le Conseil fédéral riposte par un ultimatum ; par crainte de l'armée, la direction de la grève cède après trois jours.

Même si elle tourne court, cette grève fait une forte impression sur la bourgeoisie. Le leader paysan Laur le reconnaît lui-même, à son corps défendant : « La social-démocratie suisse a montré sa force réelle au cours de cette grève. Elle est grande. » On vit quelque temps dans la crainte d'un coup d'Etat et de la révolution. La représentation diplomatique de la toute jeune Union soviétique est expulsée. Des milices armées se forment dans tout le pays et se regroupent dans la Fédération patriotique suisse. L'état-major fait d'importants préparatifs pour empêcher une hypothétique tentative de coup d'Etat. Une initiative populaire ** demande l'arrestation de tout citoyen mettant en danger la sécurité intérieure. Des grèves générales se produisent encore à Bâle et Zurich dans le courant de 1919. Mais le

---

* Politique des partis socialistes qui, pendant la guerre, se sont ralliés à la défense de la patrie en approuvant en particulier les dépenses militaires de leur pays, contre l'avis d'une minorité qui continuait à se réclamer de la lutte des classes et à défendre l'internationalisme.

** Complément du référendum (voir page 66), l'initiative populaire a été introduite en 1891 au niveau fédéral. Le droit d'initiative permet, moyennant la signature d'un certain nombre de citoyens, de participer à l'élaboration d'un texte de loi en matière législative ou constitutionnelle. La plupart des cantons connaissent le droit d'initiative en matière législative ; au plan fédéral, il est limité aux modifications constitutionnelles. La demande doit être appuyée par 50 000 citoyens (depuis 1977 : 100 000).

mouvement ouvrier suisse ne fera plus jamais de démonstration de force comparable à celle de la grève nationale de 1918.

A la suite de ces événements, les forces bourgeoises forment un bloc antisocialiste. Une initiative pour l'introduction du système proportionnel a été acceptée peu avant novembre 1918, ce qui permet aux paysans de se détacher du Parti radical et de faire cavalier seul. Leur propagande affirme qu'ils n'assurent pas seulement le ravitaillement de la patrie; ils la protègent en outre contre l'anarchie. Les élections de l'automne 1919 marquent la fin de l'hégémonie des radicaux, qui depuis 1848 disposaient de la majorité absolue dans les deux Chambres. Le succès des paysans, qui obtiennent d'un coup 14 % des sièges, rend nécessaire un élargissement de l'alliance radicale-conservatrice et on assiste à la formation d'*un bloc bourgeois-paysans contre la social-démocratie*. Les conservateurs gagnent un second siège au Conseil fédéral. La forte avance des socialistes (qui enlèvent 20 % des sièges) est contrebalancée par le renforcement du camp bourgeois.

4   Les tensions du début des années vingt

Robert Grimm dira plus tard de la grève nationale: «En 1918, la classe ouvrière a perdu une bataille, mais remporté une victoire. La bataille a été courte, la victoire durable.» A l'appui de ce jugement, on peut citer l'inscription de la *semaine de 48 heures* dans la loi sur les fabriques, un article constitutionnel sur l'introduction de l'*assurance-vieillesse* (1925), l'amélioration des *secours aux chômeurs* ou encore l'*extension des contrats collectifs de travail*.

La tension entre le mouvement ouvrier et le bloc bourgeois ne se relâche pas pour longtemps après la grève nationale. La crise économique qui éclate en 1920 et culmine au printemps 1922, avec

△   *L'armée dans les rues de Zurich pendant la grève générale en 1918.* Photo Adolf Moser.

Fondation pour la Photographie, Zurich

◁   *Manifestation du 1ᵉʳ Mai à Berne en 1933. Les expressions des manifestants en disent long sur cette période de crise.* Photo Paul Senn.

Fondation pour la Photographie, Zurich

près de 100 000 chômeurs, provoque une nouvelle confrontation entre la gauche et la droite.

En octobre 1921, un représentant paysan au Parlement réclame l'abandon de la semaine de 48 heures en temps de crise; le Conseil fédéral prépare une loi à ce sujet. Un autre projet, également dirigé contre la gauche, demande le renforcement des lois sur la protection de l'Etat. Mais deux référendums balaient ces textes. Cependant, les socialistes ne réussissent pas non plus à faire aboutir leurs propositions. Ils souhaitent que la Confédération acquitte sa dette de guerre en prélevant un impôt sur les grosses fortunes; mais leur initiative, qui pourtant ne vise qu'une fraction minime de la population, est rejetée dans la proportion de 8 non contre 1 oui. La gauche doit également s'incliner en 1921 lors d'une votation sur un nouveau tarif douanier. De plus en plus souvent, le gouvernement prend ses décisions sous la forme d'arrêtés urgents, ce qui rend le droit de référendum inopérant. La gauche en est réduite à des protestations verbales.

La tension entre la gauche et la droite ne diminuera qu'au milieu des années vingt avec l'amélioration de la conjoncture économique.

Crise économique et crise du système politique

1 Evolution économique entre les deux guerres mondiales

La crise économique des années 1921-1923 place certaines industries d'exportation dans une situation très difficile. A peine ont-elles repris leur souffle qu'éclate la grande crise des années trente. Les exportations baissent jusqu'à représenter un tiers seulement de leur volume antérieur, et les employeurs procèdent à des licenciements massifs. L'*industrie de la broderie*, qui produisait encore 15 % du total des exportations suisses avant la guerre de 1914, reçoit pratiquement le coup de grâce. Malgré un vaste processus de cartellisation au cours des années vingt, l'*industrie horlogère* est durement touchée par la crise de 1930-1936.

La production des biens d'investissement se révèle un peu moins vulnérable que celle des biens de consommation. L'électrification rapide des trains suisses pendant les années vingt a valu de nombreuses commandes à l'industrie des machines et lui a assuré une avance sensible, dans ce secteur, sur ses concurrents étrangers. La formation d'un cartel international dans l'*industrie chimique* (accord de 1929 entre des sociétés de France, d'Allemagne et de Suisse) atténue un peu les conséquences de la crise dans cette branche.

Par contre, les *banques*, qui sont fortement engagées depuis la guerre dans des opérations avec l'étranger, font des pertes sévères et les faillites se multiplient. Tandis que les industries d'exportation rencontrent des difficultés de débouchés et enregistrent des pertes dès 1930, la situation reste très bonne sur le *marché intérieur* jusqu'en 1934. Cela est dû surtout à la *construction* qui, après la longue stagnation des années chères de la guerre et de l'après-guerre, doit satisfaire d'énormes besoins de rattrapage, surtout dans le secteur du logement. Des dizaines de milliers de travailleurs, qui ne trouvent plus d'emploi dans les industries d'exportation, se tournent vers la construction. Le contrecoup est d'autant plus dur: en janvier 1936,

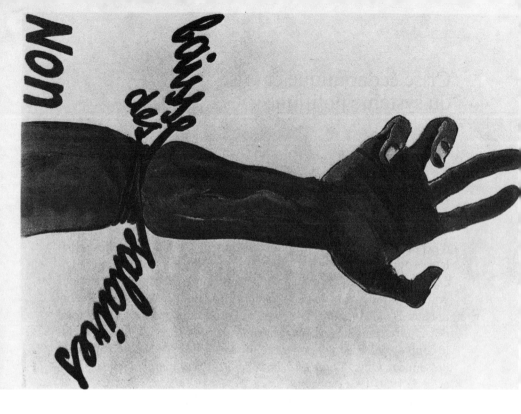

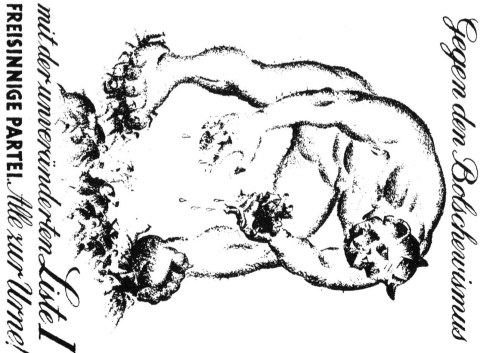

alors que la plupart des pays environnants ont déjà surmonté la crise, il y a encore en Suisse 124 000 chômeurs (7 % de la population active; moyenne annuelle: 98 000 chômeurs), dont la moitié sont des travailleurs du bâtiment.

Pris comme un tout, l'entre-deux-guerres se caractérise par une faible croissance économique et une perte de substance du secteur productif au profit des services. Au cours de la longue période de croissance (25 ans) qui a précédé la Première Guerre mondiale, 8000 emplois étaient créés en moyenne chaque année dans l'industrie. De 1918 à 1939, ce chiffre tombe à 1500. La population paysanne diminue en raison de l'endettement agricole, le secteur industriel est en stagnation et seuls les emplois dans le secteur des services progressent, surtout grâce au développement du commerce de détail et de la banque.

2   Crise du système politique et «mouvements de rénovation»

La Première Guerre mondiale a profondément marqué l'Etat fédéral: le pouvoir de l'exécutif et de l'administration s'est renforcé d'une première qui se révèle irréversible. Dès 1914, le Parlement a renoncé dans une large mesure à son pouvoir de contrôle; même les pays en guerre ne sont, en général, pas allés si loin. Et, à la fin du conflit mondial, on n'est pas pressé d'abroger ou d'entériner les arrêtés pris par le Conseil fédéral en vertu des pleins pouvoirs. Les derniers

△   *Affiche syndicale contre la baisse des salaires, 1933. Lors de la crise qui a suivi la Première Guerre mondiale, puis pendant la grande crise des années trente, les syndicats ont tenté de s'opposer aux diminutions de salaire.* Affiche de A. Carigiet.

Wolfensberger, Zurich

◁   *Affiche électorale du Parti radical de 1922: «Contre le bolchévisme avec la liste I compacte ! Tous aux urnes !» La droite cherchait à attiser la peur devant la subversion communiste pour imposer plus facilement des mesures d'ordre et de répression. Cependant, les projets de loi sur la protection de l'Etat de 1922 et 1923 ont été rejetés par le peuple.*

Benziger Verlag, Zurich 1961

d'entre eux ne deviennent caducs qu'au début des années trente; ils sont suivis presque immédiatement par les arrêtés urgents destinés à combattre la crise économique.

La guerre a renforcé également le pouvoir des *associations économiques*. De plus, les représentants directs d'intérêts économiques au Parlement deviennent beaucoup plus nombreux en raison de l'introduction du système proportionnel. L'influence exercée par les groupes de pression sur l'élaboration et l'application des lois ne cesse ainsi de se renforcer. Le rôle du législatif consiste de plus en plus souvent à défendre les compromis passés entre ces groupes contre des *outsiders*. Des libéraux et des conservateurs critiquent cette évolution, qui rend les processus de décision de moins en moins transparents; ils dénoncent une véritable mainmise de l'économique sur le politique.

La grande crise des années trente dérègle ce fonctionnement des institutions politiques, fondé sur d'instables coalitions d'intérêts. Les organisations faîtières de l'économie ont mille peines à discipliner leurs troupes. De plus en plus souvent, des groupes mécontents tentent d'atteindre leurs objectifs par leurs propres moyens et rejettent les compromis négociés par les états-majors. Un exemple: en 1931, le peuple se prononce contre l'introduction de l'assurance-vieillesse, pourtant appuyée par tous les partis et toutes les associations.

Cette opacité des structures politiques n'est pas faite pour empêcher un débordement de la crise économique sur la vie politique. Les tendances fascistes demeurées à l'état latent depuis la grève générale se réveillent sous l'effet de la prise de pouvoir national-socialiste en Allemagne. Au cours de l'année 1933, les «fronts» poussent comme des champignons. Le courant fasciste est en effet représenté en Suisse par un grand nombre de groupes politiques et de fractions assez hétérogènes, impliqués dans un jeu compliqué de fusions et de scissions. En 1935, ce courant tente une percée au niveau national en lançant une initiative pour une révision totale de la Constitution dans une perspective corporatiste.

Ces «mouvements de rénovation» s'en prennent, entre autres, au Conseil fédéral et au Parlement, accusés d'indécision et de faiblesse. Pourtant, il arrive de plus en plus souvent que les projets de loi impopulaires soient soustraits au référendum: dans la seule période de 1930 à 1938, la procédure spéciale des arrêtés urgents est utilisée pour

91 lois, dont certaines de grande portée. Même des organisations faîtières, comme celle des arts et métiers, montrent de la sympathie pour les principes autoritaires de gouvernement. Le dirigeant paysan E. Laur, confronté au risque d'une scission dans son organisation, va jusqu'à déclarer: «Le maintien de la paysannerie importe en définitive plus que le maintien de la démocratie.»

Toutefois, *les mouvements de rénovation ne parviennent pas à imposer leurs objectifs.* Sous l'impulsion des radicaux *et* des socialistes, leur initiative pour une révision totale de la Constitution est massivement rejetée. La dévaluation du franc suisse (1936) marque le début de la *reprise économique* et permet à l'industrie d'exportation d'affronter la concurrence internationale dans de bonnes conditions; elle va bénéficier, en particulier, de la course aux armements de la seconde moitié des années trente. L'aggravation de la situation politique mondiale contribue également à rendre les Suisses moins sensibles à la propagande des mouvements de rénovation.

3 Nouvelle orientation du mouvement ouvrier

Une année après la prise du pouvoir par Hitler, *Hans Oprecht* (1894-1964), président du Parti socialiste, écrit: «Dans les pays où le mouvement ouvrier dispose encore librement d'un parti et de syndicats, le temps de l'opposition acharnée et de l'agitation aveugle est révolu.»

Le milieu des années trente marque en effet un tournant dans l'histoire des organisations ouvrières. En 1920 encore, le Parti socialiste soulignait dans son programme que la lutte de classes entre la bourgeoisie et le prolétariat restait nécessaire dans une démocratie bourgeoise et que l'objectif des socialistes était toujours la dictature du prolétariat. Cependant, ces déclarations n'avaient guère de conséquences; dans la pratique, le Parti socialiste participait comme les autres formations politiques aux élections, aux initiatives et aux référendums. Quant aux syndicats, la puissance qu'ils avaient acquise lors de la grève générale leur avait surtout permis de négocier des conventions collectives avec le patronat et d'obtenir de l'Etat les mêmes droits que les associations économiques bourgeoises. Eux aussi s'éloignaient de plus en plus de l'idéologie de la lutte des classes.

Là où subsistait une aile gauche dans le parti ou dans les syndicats, elle était affaiblie par l'hostilité qui régnait entre les socialistes et les communistes depuis la scission du mouvement ouvrier. En 1921, en effet, alors que la majorité du Parti socialiste s'était prononcée contre l'adhésion à l'*Internationale communiste*, la minorité avait décidé de se retirer et de fonder le Parti communiste suisse. Les effectifs et l'influence de ce parti sont restés limités. Il faut relever que l'évolution et les divisions du mouvement ouvrier ont différé selon les régions linguistiques du pays. En Suisse romande, le Parti socialiste avait une aile gauche très influente, regroupée autour de *Léon Nicole* (1887-1965); elle a cependant fait sécession à la fin des années trente.

La menace fasciste à l'intérieur et à l'extérieur précipite ainsi un processus qui est en marche depuis longtemps; en 1935, le Parti socialiste adopte un nouveau programme qui reconnaît l'Etat de droit et la défense nationale.

Les syndicats souhaitent un rapprochement avec les classes moyennes. Ils lancent en 1934, en collaboration avec des associations d'employés et le mouvement des jeunes paysans l'«initiative de crise», qui veut rompre avec la politique déflationniste du gouvernement: plutôt que de baisser les salaires et les prix, il faut soutenir le pouvoir d'achat des ouvriers et des employés en créant des emplois et en réduisant la durée du travail; il faut d'autre part alléger la dette des entreprises agricoles. Mais cette initiative est rejetée à une faible majorité.

En 1937, la puissante organisation patronale de l'industrie des machines et le principal syndicat du pays, la Fédération suisse des

Fête d'actions de grâces pour la récolte des moissons, de l'organisation extérieure △
du parti nazi à Zurich, 1935. Les associations national-socialistes de l'émigration allemande étaient à l'œuvre en Suisse à côté des «fronts» autochtones. Même si ces derniers sont restés très minoritaires, ils représentaient avec les associations national-socialistes une menace non négligeable. A Bâle, par exemple, le parti nazi comptait 4000 membres inscrits.

Fondation pour la Photographie, Zurich

Queue pour toucher l'allocation de chômage. C'est en 1935 que le nombre de ▷
chômeurs a atteint son maximum, avec 93 000 personnes. La crise des années trente a profondément marqué toute une génération de Suisses et de Suissesses.
Photo: Hans Staub.

Fondation pour la Photographie, Zurich

90

ouvriers sur métaux et horlogers, signent une «convention de paix», qui prévoit que les conflits seront réglés par la seule voie des négociations – ou par le recours à un tribunal arbitral – et qui interdit la grève et le lock-out. *Cet accord est à l'origine de la «paix du travail»; régulièrement renouvelé depuis lors, il sera étendu à d'autres branches et influencera profondément les relations entre employeurs et salariés en Suisse.*

La mutation des syndicats et du Parti socialiste au cours des années trente ne peut être comprise seulement à la lumière de l'alliance conclue avec la bourgeoisie face à la menace fasciste. *Au cours de ces années, le mouvement ouvrier passe définitivement d'une perspective révolutionnaire à une position réformiste; les organisations ouvrières s'intègrent à la société bourgeoise.* L'Exposition nationale de 1939 à Zurich montre qu'une nouvelle conscience nationale, commune à toutes les classes sociales du pays, est en train de se former. L'ensemble du peuple suisse adopte un modèle emprunté à la classe moyenne. Jamais le pays n'a été aussi uni, quand bien même il vient de connaître de graves affrontements internes.

La Seconde Guerre mondiale

La Suisse n'est pas prise au dépourvu par l'ouverture des hostilités. Dès 1938, elle a jeté les bases de l'économie de guerre, qui peut fonctionner aussitôt. Une compensation des pertes de gain pendant les périodes militaires est instituée en 1939 pour les salariés et pour les indépendants. Grâce au contrôle des prix et au rationnement des biens de consommation, le renchérissement ne s'élève même pas à la moitié du niveau atteint lors de la Première Guerre mondiale. On améliore le régime des allocations familiales et l'assurance-chômage. L'élection du premier conseiller fédéral socialiste, *Ernst Nobs* (1886-1957), est une des expressions du vaste mouvement d'intégration nationale qui se déroule en Suisse face à la menace de la guerre.

La pression de l'extérieur est beaucoup plus forte que pendant la Première Guerre mondiale. L'Allemagne national-socialiste élabore des plans pour l'occupation militaire de la Suisse. Depuis l'occupation de la France au cours de l'été 1940, la Suisse est complètement entourée par les puissances de l'Axe. Une gigantesque menace pèse sur le pays, prêt à défendre militairement son indépendance. Certes, les puissances européennes ont toutes reconnu la *neutralité armée* de la Suisse avant le déclenchement de la guerre ; mais les nazis montrent une aversion non déguisée pour le petit Etat, qui oppose, avec sa diversité culturelle, un démenti à leur propagnade nationaliste et raciste. En 1940, au moment du plus grand péril, des voix s'élèvent jusque parmi les responsables les plus hauts placés du pays pour demander que la Suisse «s'adapte» à l'Europe nouvelle. On fait des concessions qui seront critiquées par la suite : une censure de la presse s'efforce d'empêcher les coups d'épingle contre l'Allemagne nazie ; l'accueil des réfugiés est très sérieusement limité sous la pression de Hitler ; un conseiller fédéral et quelques officiers supérieurs parlent publiquement d'«adaptation».

En revanche, le général vaudois *Henri Guisan* (1874-1960), qui a été nommé à la tête de l'armée, rassemble tous les commandants de troupe à la prairie du Grütli, au bord du lac des Quatre-Cantons, où il en appelle en termes mémorables à la volonté de résistance de l'armée et du peuple. Aucun endroit ne peut mieux convenir pour retremper la volonté d'indépendance des Suisses que cette prairie historique, où la tradition situe la fondation de la Confédération en 1291. *Au cours de la Seconde Guerre mondiale, la Suisse oscille entre deux tendances: tantôt elle s'adapte aux événements; tantôt elle manifeste qu'elle est prête à se défendre les armes à la main.* Parmi les raisons qui lui permettent d'échapper à la guerre, il faut citer certains intérêts stratégiques et économiques des puissances de l'Axe.

La défense des frontières et le service actif de 1939 à 1945 marqueront toute une génération. Mais, cette fois encore, la Suisse a la chance d'être épargnée par une guerre qui fait des millions de victimes dans le reste du monde.

Après l'effondrement de la France, des soldats suisses mettent en place un △ *barrage sur une route proche de la frontière (été 1940). La Suisse était alors complètement encerclée par l'Allemagne et l'Italie.*

Bibliothèque militaire suisse, Berne

Frontière suisse, 1941. Soldats travaillant en temps ordinaire à la construction de ▷ *fortifications.* Photo Paul Senn.

Fondation pour la Photographie, Zurich

La Suisse d'aujourd'hui

1 Vingt-cinq ans d'expansion économique

Vers la fin de la guerre, les puissances victorieuses ne montrent guère de sympathie pour la neutralité helvétique. Les alliés occidentaux reprochent à la Suisse d'avoir maintenu ses relations économiques avec l'Allemagne nazie et la menacent d'un boycott commercial. L'Union soviétique, de son côté, se refuse dans un premier temps à rétablir les relations diplomatiques que la Suisse a rompues lors de la grève générale de 1918. Mais grâce à sa puissance financière, qui rend indispensable son aide à la reconstruction européenne, la Suisse retrouve vite sa place dans le concert des nations. Pendant la guerre froide qui se déclenche entre l'Est et l'Ouest peu après la capitulation allemande, les traditions politiques du pays l'amènent à se ranger dans le camp occidental. Il n'adhère pas à l'ONU en raison de sa neutralité, mais participe à la fondation de l'Organisation de coopération et de développement économique (OCDE).

Après la guerre, la Suisse entre pour vingt-cinq ans dans une période d'expansion économique unique dans son histoire. Il faut citer en particulier le boom de la construction, rendu possible par l'afflux de travailleurs étrangers. Le volume réel des commandes de cette branche quintuple jusqu'à la crise des années septante. Dans certaines industries d'exportation comme la chimie, l'industrie alimentaire ou l'industrie des machines, on assiste à la formation d'*entreprises multinationales d'importance mondiale*; une grande partie de leur production est effectuée à l'étranger, alors que les centres de décision et les départements de recherche restent en Suisse. La plus grande de toutes est le groupe Nestlé, qui occupe plus de 100 000 personnes dans le monde entier et réalise 98 % de son chiffre d'affaires à l'étranger.

L'exportation de capitaux prend des proportions inconnues jusqu'ici: *en 1973, la Suisse est le quatrième pays du monde pour les investissements directs à l'étranger*, derrière les Etats-Unis, la France et l'Angleterre. Les avoirs du secteur bancaire à l'étranger s'élèvent à 250 milliards de francs; les capitaux placés par des banques suisses représentent près de la moitié de cette somme. La prospérité helvétique dépend plus que jamais de l'étranger: *la part des recettes en provenance d'autres pays dans le produit social net atteint 44 %.*

Après la guerre, la structure de l'emploi change une nouvelle fois au détriment de l'agriculture. Les campagnes se dépeuplent, tandis que les régions à forte densité démographique gagnent encore en importance. La part de la population active occupée dans l'agriculture passe de 21 % en 1941 à 8 % seulement en 1970. On assiste par contre à une forte augmentation de l'emploi dans l'industrie et les services. Il est vrai que la crise des années 1974-1976 se solde par la suppression de 200 000 postes de travail, essentiellement dans l'industrie. Le secteur tertiaire dépasse la cote de 50 %; la transition vers une société de services devient réalité...

2 Immigration et xénophobie

L'expansion économique de l'après-guerre s'accompagne d'une forte immigration de travailleurs italiens et espagnols, bientôt suivis par d'autres, également originaires du sud de l'Europe. Alors que la part des étrangers dans l'ensemble de la population résidente est de 5 % en 1945, *elle passe à 10 % en 1960 puis même à 17 % en 1974.* Les premières branches à employer cette main-d'œuvre sont l'industrie textile et l'industrie de l'habillement, l'agriculture et l'hôtellerie,

---

Les étrangers sont le plus souvent privés de droits politiques en Suisse; ils △
remplissent des tâches subalternes. Sans eux, des secteurs entiers seraient paralysés: les manœuvres de la voirie, le personnel non qualifié des hôpitaux et des homes, les femmes de ménage, etc., sont presque tous étrangers. La marche de l'hôtellerie dépend des immigrés à 70 %.

Moosbrugger, Zurich

Le travail d'une grande partie de la population suisse a profondément changé, ▷
sous l'effet de plusieurs facteurs: croisssance du secteur tertiaire, automatisation de nombreux processus de production, division internationale du travail, etc.

Comet, Zurich

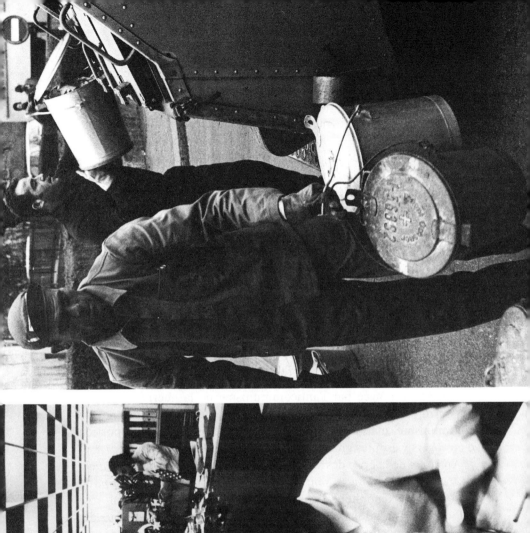
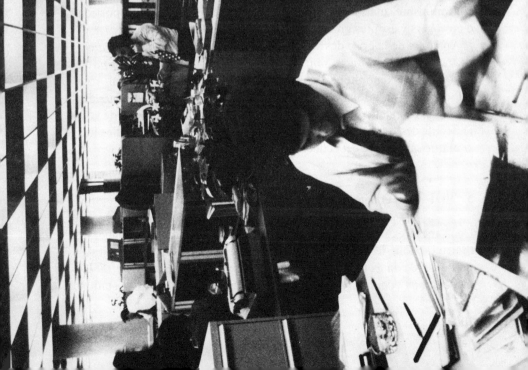

suivies plus tard par la construction, l'industrie des machines et l'horlogerie. Parallèlement, les Suisses occupent des positions plus élevées : ils sont souvent promus chefs de leurs collègues étrangers, ou bien se tournent vers d'autres métiers, mieux payés, moins durs ou mieux considérés. Les étrangers sont bientôt majoritaires dans plusieurs branches de production. Tandis que de nombreux Suisses désertent les usines pour devenir employés, ils sont remplacés par des étrangers qui ne bénéficient d'aucun droit politique.

Au cours des années soixante, on parle de plus en plus souvent de «surpopulation étrangère» et plusieurs initiatives populaires demandent une diminution de l'effectif des étrangers. La première et la plus importante, dite «initiative Schwarzenbach», n'est rejetée que de justesse. Les idées xénophobes ont gagné de larges couches d'ouvriers et d'employés suisses. La «défense nationale spirituelle» des années de guerre a donné naissance à une idéologie tournée vers le passé, qui interprète comme une menace tout ce qui vient de l'étranger, que ce soit dans le domaine ethnique, politique ou économique. Il n'est pas étonnant que les xénophobes se recrutent surtout en Suisse alémanique où la défense nationale spirituelle a été montée en épingle et où elle a été prolongée par l'anticommunisme de la guerre froide. La Suisse romande et le Tessin sont non seulement moins hostiles au communisme, mais aussi moins xénophobes, même si la proportion d'étrangers y est plus grande encore qu'en Suisse alémanique.

Au cours de la crise des années 1974-1976, *des dizaines de milliers de travailleurs étrangers sont contraints de retourner dans leur pays.* Les réflexes xénophobes continuent cependant à jouer un rôle important. Une initiative populaire proposant d'élargir les droits des immigrés est rejetée en 1981 à une très forte majorité; la crainte de voir l'effectif des travailleurs étrangers augmenter une nouvelle fois explique sans doute cet échec.

3 Etat social et démocratie de concordance

Deux mesures importantes sont prises dans l'immédiat après-guerre : l'introduction de l'*assurance-vieillesse* et la consécration constitutionnelle de la *collaboration entre l'administration fédérale et les associations économiques*. La prévoyance-vieillesse est en gestation depuis plus de vingt ans. D'autre part, on a mis au point à Berne une procédure de consultation des grandes associations, qui est déjà rodée. A la faveur de la prospérité économique des années cinquante et soixante, beaucoup de lois importantes sont adoptées sans susciter de référendum; on peut citer la loi sur l'extension des conventions collectives de travail (1956), un nouveau tarif douanier (1959) ou la loi sur les routes nationales (1960). Plusieurs révisions de l'assurance-vieillesse sont également acceptées sans opposition, jusqu'à la crise des années septante.

Après six ans de retrait volontaire, les socialistes réintègrent le Conseil fédéral en 1959, où ils ont désormais deux représentants. *La répartition des sièges à l'exécutif reste la même depuis cette date; elle obéit à une clé simple (la «formule magique»): deux radicaux, deux démocrates-chrétiens, deux socialistes et un représentant paysan. 80 % des électeurs sont ainsi représentés au gouvernement.* Tous les groupes politiques ou économiques capables de lancer un référendum se sont intégrés au système. Dans ces conditions, les nouvelles lois nécessitent souvent des compromis laborieux, au résultat final peu satisfaisant. C'est ainsi que la réforme des finances fédérales entreprise à la fin de la Seconde Guerre mondiale n'a toujours pas abouti et qu'on passe dans ce domaine de solution provisoire en solution provisoire. Autre exemple: les femmes n'obtiennent le droit de vote sur le plan fédéral qu'en 1971, soit 123 ans après l'introduction du suffrage «universel».

Alors que les votations sont fréquentes – surtout pendant les années cinquantes – *le taux d'abstention des citoyens ne cesse d'augmenter.* Lors des élections fédérales de 1979, la participation tombe pour la première fois à moins de 50 %. Cette manifestation d'un désintérêt croissant pour la politique est actuellement le thème de discussions animées dans l'opinion publique. «Au XIXe siècle, nous étions une nation révolutionnaire; aujourd'hui, nous sommes une des plus conservatrices du monde» lance le juriste *Max Imboden* (1915-1969) à ses compatriotes. Une révision fondamentale de la Constitution fédérale est mise en chantier, avec l'espoir qu'elle déclenchera une large discussion; mais ce résultat n'est pas encore atteint.

JA

Aktionskomitee für das Frauenstimmrecht im Kanton Zürich

4   La Suisse dans le conflit Nord-Sud

En 1945, la Suisse a renoncé à adhérer à l'ONU, en se référant à sa neutralité. Son attitude est la même en 1957 à l'égard de la Communauté européenne, malgré ses étroites relations économiques avec les pays membres. Elle se rallie par contre à l'Association européenne de libre échange (AELE), en 1959, dont les objectifs purement économiques ne peuvent entrer en contradiction avec la politique de neutralité. Cependant, la Suisse est tournée, dans ses relations internationales, vers les nations industrielles occidentales.

La non-participation de la Suisse à l'ONU n'empêche pas *Genève* d'accueillir de plus en plus d'organisations et de conférences internationales. Cette ville, qui abrite le Comité international de la Croix-Rouge (CICR) depuis sa fondation en 1863, a été choisie en 1919 comme siège de la Société des Nations (SDN) sous l'influence, en particulier, du président américain Wilson. Le nom de Genève est alors devenu le symbole d'un nouvel espoir, celui d'une paix fondée sur l'arbitrage et le désarmement. Après la Seconde Guerre mondiale, la décision d'installer à New York le siège de la nouvelle Organisation des Nations-Unies n'a pas affaibli le prestige international de la cité suisse qui abrite, entre autres, l'Office européen des Nations-Unies (OENU), le Bureau international du Travail (BIT), l'Organisation mondiale de la Santé (OMS) et le Centre européen de la recherche nucléaire (CERN). Mais ce qu'on a appelé l'«esprit de Genève» n'a guère de racines locales; c'est bien plutôt le fruit d'une culture cosmopolite. Les liens sont faibles entre la vie culturelle locale et les grandes réunions diplomatiques, les congrès internationaux, les innombrables séances de l'ONU et de ses différents organismes.

Devenue membre de différentes organisations internationales spécialisées, la Suisse participe, à l'heure de la décolonisation, à plusieurs

△   *Affiche électorale de 1947 pour l'introduction de l'assurance-vieillesse, pierre angulaire de l'Etat social.* Affiche de Hans Erni.

Wolfensberger, Zurich

◁   *Affiche électorale pour le droit de vote des femmes: «Travailler ensemble, voter ensemble.» L'introduction du suffrage féminin au plan fédéral n'a été acquise après la guerre qu'au prix de longues luttes électorales.*

Tuggener, Zurich

103

programmes d'aide des Nations-Unies. Depuis les années cinquante, elle augmente peu à peu son aide au Tiers-Monde et crée en 1961 le *Service de la coopération technique*. Elle place l'accent sur l'aide bilatérale, qu'elle préfère aux projets lancés par plusieurs pays. La récente *Direction de la coopération au développement et de l'aide humanitaire* travaille dans ce sens, en collaboration avec des associations privées d'aide au Tiers-Monde. Les dépenses de la Suisse au titre de la coopération au développement ont passé de 40 millions de francs en 1961 à 130 millions en 1970, puis à 447 millions en 1981. Les principaux bénéficiaires des programmes bilatéraux sont jusqu'ici *le Bangladesh, Madagascar, le Ruanda, la Tanzanie, l'Inde, le Népal, le Pakistan et le Pérou.*

La Suisse se doit d'intensifier son aide publique au développement. En 1980, le Conseil fédéral adresse un message aux Chambres, dans lequel il propose l'ouverture d'un crédit de 1650 millions de francs pour la coopération technique. Il suggère que l'aide publique de la Suisse, qui ne représente en 1979 que 0,21 % de son produit national brut, soit égale au milieu des années huitante à la moyenne actuelle de l'OCDE (0,37 % du PNB). Ces sommes doivent aller en priorité aux projets de développement rural dans les pays les plus pauvres.

La Suisse est le quatrième investisseur dans le Tiers-Monde. L'aide publique au développement et les contributions des organisations privées équivalent seulement à 5 % des flux annuels de capitaux destinés à ces pays; tout le reste (95 %) consiste en investissements privés et en crédits à l'exportation.

Les années septante marquent un tournant dans les relations Nord-Sud. Après une décennie de coopération au développement dans un climat d'optimisme, différents pays du Tiers-Monde se retrouvent plus pauvres qu'auparavant. Par ailleurs, en 1974, l'OPEC utilise pour la première fois son monopole sur le pétrole comme moyen de pression, démontrant la force des pays fournisseurs de

Industrie et habitat dans l'agglomération zurichoise (Schlieren). △
Swissair-Photo AG, Zurich

La construction du réseau suisse d'autoroutes, aujourd'hui un des plus denses du ▷
monde, n'a commencé que dans les années soixante (sortie de Thoune-Nord et vallée de l'Aar).
Swissair-Photo AG, Zurich

1351 Zurich

 1481 Soleure

 1803 Tessin

 1353 Berne

 1501 Bâle-Ville

 1803 Vaud

 1332 Lucerne

 1501 Bâle-Campagne

 1815 Valais

 1291 Uri

 1501 Schaffhouse

 1815 Neuchâtel

 1291 Schwyz

 1513 Appenzell Rhodes-Extérieures

 1815 Genève

 1291 Obwald

 1513 Appenzell Rhodes-Intérieures

 1979 Jura

 1291 Nidwald

 1803 St-Gall

 1352 Glaris

 1803 Grisons

 1352 Zoug

 1803 Argovie

 1481 Fribourg

 1803 Thurgovie

matières premières. Toutefois, l'aspiration du Tiers-Monde à un nouvel ordre économique mondial n'est encore guère comprise en Suisse, pas plus dans les milieux économiques que dans la population en général.

Le transfert de productions entières dans les pays à bas salaires du Sud place certaines branches de l'économie suisse – l'industrie textile ou l'horlogerie, par exemple – devant de sérieuses difficultés. Dans la conjoncture économique actuelle, les modifications structurelles qu'entraîne cette évolution dans le pays peuvent conduire au chômage. Les tendances de la division internationale du travail sont en contradiction avec la planification des gouvernements, qui opèrent nécessairement à court terme et sur une petite échelle. Il est d'autant plus difficile, dans ces circonstances, d'éveiller l'intérêt de l'opinion publique pour les questions du développement.

5   Nouvelle opposition et mutation culturelle

Le malaise latent qui se manifeste dans la chute de la participation électorale donne naissance à de *nouveaux mouvements d'opposition*, qui souvent ne sont pas représentés au Parlement. La génération qui fait ses premières armes en 1968 crée des partis et des mouvements qui forment un potentiel d'opposition non négligeable, autour de questions comme la *protection de l'environnement*, l'*émancipation des femmes* ou les *rapports de la Suisse avec le Tiers-Monde*. Les adversaires des centrales nucléaires ne sont pas loin de faire triompher leur point de vue en 1979, lors d'une votation fédérale. Le mérite de l'inscription dans la Constitution de l'*égalité des droits de l'homme et de la femme* (1981) revient essentiellement au nouveau mouvement féministe. L'alliance des contestataires et des fédéralistes fait capoter le projet d'une police fédérale de sûreté.

La Suisse romande éprouve un certain malaise face au conservatisme alémanique. Depuis la fin de la Seconde Guerre mondiale, le

◁   *L'écusson de la* Confoederatio helvetica *accompagné de ceux des cantons, avec leur date d'entrée dans la Confédération. On compte trois demi-cantons:* Unterwald *(Obwald et Nidwald),* Bâle *(Bâle-Ville et Bâle-Campagne) et* Appenzell *(Rhodes-Extérieures et Rhodes-Intérieures).*

Kümmerly + Frey, Berne

mouvement séparatiste jurassien ne cesse de se renforcer, donnant parfois de violents coups de boutoir contre l'ordre établi. Il demande que le territoire francophone attribué à Berne en 1815 (voir p. 53) redevienne indépendant et forme un nouveau canton. Les séparatistes atteignent une partie au moins de leurs objectifs : le *nouveau canton du Jura est créé en 1978*. Mais il ne correspond pas à la totalité du territoire de 1815 et les autonomistes sont déterminés à poursuivre leur action pour reconstituer l'unité de leur région.

L'expérience jurassienne pourrait être une source d'impulsions nouvelles pour la Suisse : cette région connaît un renouveau de la participation politique et de la démocratie, qui porte des fruits dans la vie culturelle, l'action régionale, la défense des salariés et des locataires, et qui pourrait inspirer d'autres cantons. La Constitution du nouveau canton, qui tente une adaptation des institutions démocratiques à notre temps, innove sur de nombreux points.

Depuis peu, un nouveau *mouvement de protestation de la jeunesse* secoue plusieurs villes de Suisse romande et de Suisse alémanique. Son refus, parfois violent, de la société d'abondance, traduit un malaise diffus devant la dégradation des villes, devant une culture codifiée et passivement consommée, devant, enfin, ce que ces jeunes ressentent comme une absence de perspective politique. En Suisse comme dans de nombreuses autres nations industrielles, certaines couches de la population ne perçoivent plus le sens de la vie en société.

La Suisse jouit aujourd'hui d'une prospérité largement répandue et elle est en général épargnée par les conflits sociaux. Sa diversité culturelle est encore une réalité, malgré le nivellement exercé par les moyens de communication de masse. Les citoyens disposent de droits politiques étendus qui leur donnent prise sur les décisions politiques. Avec ces atouts en main, les Suisses seront-ils en mesure de résoudre les problèmes que leur réserve l'avenir ?

ORIENTATION BIBLIOGRAPHIQUE

Histoire générale

Une place particulière doit être réservée dans cette bibliographie à l'ouvrage suivant:

Nouvelle histoire de la Suisse et des Suisses, sous les auspices du Comité pour une Nouvelle Histoire de la Suisse, présidé par J.-C. Favez; 3 vol., Lausanne, 1982-1983.
Cet ouvrage collectif, publié simultanément en français, en allemand et en italien, fait le bilan des connaissances actuelles. On y trouve, pour chaque période, une sélection bibliographique.

Il faut mentionner en outre:

J. Dierauer *Histoire de la Confédération suisse,* 5 tomes en 6 vol., Lausanne 1910-1919.

Ch. Gilliard *Histoire de la Suisse,* Paris 1944; 7e éd. mise à jour par J.-J. Bouquet, 1978 (*Que sais-je?* N° 140).

Histoire et civilisations des Alpes; 2 vol., publié sous la direction de P. Guichonnet, Toulouse et Lausanne 1980.

W. Martin *Histoire de la Suisse,* Paris 1926; 8e éd., avec une suite de P. Béguin, complétée par A. Bruggmann, Lausanne 1980.

Le lecteur pourra également consulter un atlas:

H. Ammann, K. Schib *Historischer Atlas der Schweiz = Atlas historique de la Suisse = Atlante storico della Svizzera,* Aarau 1951; 2e éd., 1958.

Institutions, politique et culture

J.-F. Aubert *Petite histoire constitutionnelle de la Suisse,* Berne 1974; 3e éd. augmentée, 1979.

E. Bonjour *La neutralité suisse. Synthèse de son histoire,* Neuchâtel 1979.

E. Gruner *Die Parteien in der Schweiz,* Bern 1969; 2. neu bearbeitete und erweiterte Auflage, 1979.

H. C. Peyer *Verfassungsgeschichte der alten Schweiz,* Zürich 1978.

D. de Rougemont   *La Suisse ou l'histoire d'un peuple heureux*, Paris 1965; 2ᵉ éd. 1970.

A. Siegfried   *La Suisse démocratie-témoin*, 1948; 4ᵉ éd. revue et augmentée par P. Béguin, Neuchâtel 1969.

Economie, société et population

J.-F. Bergier   *Naissance et croissance de la Suisse industrielle*, Berne 1974.

J.-F. Bergier   *Problèmes de l'histoire économique de la Suisse. Population, vie rurale, échanges et trafics*, Berne 1968.

W. Bickel   *Die Volkswirtschaft in der Schweiz. Entwicklung und Struktur*, Aarau-Frankfurt 1973.

E. Grunner   *Die Arbeiter in der Schweiz im 19. Jahrhundert. Soziale Lage, Organisation, Verhältnis zu Arbeitgeber und Staat*, Bern 1968.

Le Mouvement ouvrier suisse. Documents. Situation, organisation et luttes des travailleurs de 1800 à nos jours, Genève 1975.

W. Rappard   *Le facteur économique dans l'avènement de la démocratie moderne en Suisse. I. L'agriculture à la fin de l'Ancien Régime*, Genève 1912. *II. La révolution industrielle et les origines de la protection légale du travail en Suisse*, Genève 1914.

Un siècle d'Union syndicale suisse. 1880-1980, Fribourg 1980.

L. Stucki   *L'empire occulte. Les secrets de la puissance helvétique*, Paris 1970.

Histoire de quelques cantons

J. Courvoisier   *Panorama de l'histoire neuchâteloise*, Neuchâtel 1963.

Encyclopédie illustrée du pays de Vaud, vol. 4, *L'histoire vaudoise*, Lausanne 1973.

R. Feller   *Geschichte Berns*, 4 Bde, Berne 1946-1960; 2. korrigierte Auflage, 1974.

Histoire de Genève, publiée sous la direction de P. Guichonnet, Toulouse et Lausanne 1974.

Histoire du canton de Fribourg, publiée sous la direction de R. Ruffieux, 2 vol., Fribourg 1981.

A. Largiader, *Geschichte von Stadt und Landschaft Zürich*, 2 Bde, Erlenbach-Zürich 1945.

R. Wackernagel *Geschichte der Stadt Basel*, 4 Bde, Basel 1907-1924; Nachdruck 1968.

Dieter Fahrni, *né en 1951, a étudié l'histoire, l'économie et la philosophie à l'Université de Bâle (licence en lettres). Il s'intéresse tout particulièrement à l'histoire suisse des XIXe et XXe siècles. L'auteur a été assistant à l'Institut d'Histoire de Bâle, de 1979 à 1982. Il travaille depuis lors à la Radio et à la Télévision à Zurich.*

Cet ouvrage a été achevé d'imprimer au mois de novembre 1991 sur les presses de ICN SA - Attinger à Neuchâtel (Suisse).